I Canguri / Feltrinelli

LINDA FERRI
Incantesimi

Feltrinelli

© Giangiacomo Feltrinelli Editore Milano
Prima edizione ne "I Canguri" febbraio 1997

ISBN 88-07-70084-0

*A mio padre
e a mia madre
A Laura
A Michel*

STRAPPI

Ecco la culla rivestita di mussolina bianca che veleggia nella mia stanza, c'è un momento di esitazione, poi l'ancora viene gettata proprio nel centro, così che il poco che ho di mondo si mette d'un tratto a vorticare intorno a quel sole appena nato.

Quando mia sorella arrivò, eravamo già in tre: i miei fratelli di sette e nove anni e io, che ne avevo due. E della preistoria in cui lei non c'era ancora non mi resta alcuna immagine: tutto è buio, come prima che sia giorno.

Vedo invece mia sorella nella culla, e una sedia lì vicino sulla quale m'inginocchio, i gomiti sulla spalliera. Rimango a osservare per un po' le sue manine trasparenti che volteggiano nell'aria. Poi scendo e me ne torno a giocare per conto mio in attesa che diventi grande.

Più tardi vedo tutto un viavai confuso in casa, e mobili, bauli e valige che se ne vanno in processione giù per le scale. Anche il mio lettino se ne è andato e nella stanza resto io, seduta per terra, e accanto a me la culla urlante, che ha paura di rimanere sola. C'è questo vuoto spaventoso e l'urlo della culla che vi rimbomba dentro, allora mi tappo le orecchie con le mani aperte e piango.

Con la Carolina, la nostra Plymouth anni cinquanta

dalle ali d'oro piena zeppa di bagagli, traslocammo in Francia, a Parigi, a cominciare una nuova vita: mio padre al volante, mio fratello grande accanto a lui e, dietro, io, Pietro e la mamma con Clara in braccio. La nostra nuova casa era al pianterreno, buia, e mia madre vestiva me e mia sorella di colori chiari per tenerci d'occhio facilmente. Poi, quando fummo un po' cresciute, prese a vestirci uguali e anche di colori scuri.

In fila nel salone della scuola, aspettando di entrare insieme all'asilo, Clara rimaneva tutto il tempo aggrappata alla mia mano. In classe urlava se la maestra Bernadette faceva per separarci destinandoci ad attività diverse. Allora la maestra la soprannominò "cozzetta" e dispose i banchi in due cerchi, uno con le bambine piccole e uno con le grandi, che combaciavano in un punto. Il bacio eravamo io e mia sorella.

Quando ebbi cinque anni decisero di mandarmi in prima elementare.

È sera. Come in ogni momento grave, la mamma è seduta sul suo letto, io sono in piedi davanti a lei, le ginocchia contro le sue ginocchia, le mie mani nelle sue. Mi spiega che domani cambierò classe, ma che lei e la maestra hanno stabilito che prima andrò all'asilo con Clara come se niente fosse, poi, a un certo punto, la maestra di prima elementare verrà a prendermi e mi porterà nella mia nuova classe. Mentre la mamma parla, mi sento in gola un tumulto di paura ed eccitazione, orgoglio e colpa. È il mio primo segreto che esclude mia sorella, è un segreto contro di lei, e quando torno in camera mi siedo per terra dandole le spalle.

L'indomani, in fila nel salone, le dita di Clara s'intrecciano alle mie, molli e sudate. Saliamo in classe e subito si formano i due cerchi. Lei si mette tranquilla a disegnare, e intanto il tempo passa e sul mio foglio compare una casa dai muri vacillanti. Entra la maestra di prima elementare, confabula un po' con Bernadette e ora eccola che si avvicina e mi tende la mano. Guardo quella mano, che mi sembra enorme, guardo mia sorella, ancora china sul disegno, poi di nuovo quella mano enorme: se la prendo è la fine, così chiudo gli occhi per non vederla più. Ma poi qualcuno mi sfiora il mento, e quando riapro gli occhi vedo la maestra che mi sorride, e io mi sento importante, un'eroina triste, e allora sì, metto la mia mano nella sua e mi alzo, m'incammino, la testa bassa, tenendomi un po' dietro di lei. Siamo quasi alla porta marrone che divide le due classi quando sento l'urlo familiare di mia sorella, solo più forte, più terribile, e mi volto, io la traditrice. Bernadette è seduta su uno dei nostri sgabellini, nascondendolo tutto col suo grande corpo così che sembra seduta per aria, e tiene Clara sulle ginocchia, ben stretta alla vita, mentre lei tende spasmodicamente braccia e gambe verso di me, la bocca spalancata in una voragine di sconforto. Rimango lì pietrificata, ma già la maestra mi sta tirando via e insieme scompariamo dietro quella porta marrone. Mi accompagna al primo banco, e c'è ancora quell'urlo, lo sento ancora e ancora, allora mi accascio sul banco con la testa fra le braccia e piango, un pianto sommesso e lungo, per tutta la lezione, mesta e fedele eco al persistente grido di mia sorella.

BIANCANEVE

La mia maestra di prima elementare aveva la pelle bianchissima e un nastro tra i capelli. Ci chiamava i suoi "nani" e ci faceva fare un sacco di cose divertenti – come far finta che la nostra aula fosse un aereo, completo di pilota, hostess e spuntini serviti a bordo, in volo per paesi lontani. All'atterraggio, alcuni di noi, vestiti da cinesi, africani o messicani, accoglievano gli altri descrivendogli la propria terra con l'aiuto di libri o cartoline illustrate. Tutto quello che facevamo a scuola era, secondo le parole della maestra, un "lavoro" e il tono soave e al tempo stesso fermo della sua voce ci soggiogava tutti. Io ero la più piccola della classe e, sfacciatamente, la sua preferita. Fin dal primo giorno mi aveva sistemato al banco giusto davanti a lei, e non mi perdeva mai d'occhio, incoraggiando e lodando ogni mia fatica. Alla mamma aveva detto che la severità mi rendeva triste.

Qualche volta mi portava a casa sua dopo la scuola e, per prima cosa, mi dava da mangiare un piatto di minestrone che mi sarebbe tornato su tutto il giorno. In quel piccolo appartamento ordinato, senza marito né bambini in giro, scoprii il rumore dei miei passi. C'erano animaletti di porcellana appollaiati qua e là, e due busti di bambini (un maschio e una femmina) a cui mi piaceva, facendo molta attenzione, sfiorare le fresche e lisce guance di marmo.

Prendendomi per mano, la maestra mi porta a salutare i suoi animali: "Questo è Coniglio Saltoni, questo è Topo Camembert e lei è Puzzoletta-che-non-dà-retta con la sua amica Cincia-Pincia". Mi racconta che ieri, con un balzo prodigioso, Coniglio Saltoni è atterrato sulla coda di Puzzoletta e che lei si è arrabbiata alla sua maniera, liberando una nuvola mefitica, e che allora Topo Camembert ha protestato con Puzzoletta, che gli ha ribattuto: Senti chi parla, tu puzzi più di me, e a quel punto Cincia-Pincia ha preso le parti dell'amica e si è scatenato un tale putiferio di battibecchi che lei li ha dovuti sgridare tutti, tutti quanti.

"E poi cos'è successo?" le chiedo.

"Poi li ho messi a dormire. Lo vedi adesso come se ne stanno buoni. Dormono."

"Mi piacerebbe vederli da svegli, una volta."

"Sì, magari una volta che vieni li troverai che giocano o che lavorano."

Ma non capitava mai, e la sera a letto mi immaginavo tutto un pispolare di uccelli, un rosicchiare di topi e conigli in casa della maestra, come nel bosco di Biancaneve. Nell'appartamento doveva esserci però come un sortilegio di malinconia e silenzio che svaniva evidentemente soltanto quando lei si ritrovava da sola con i suoi animali.

Nella recita di Natale mi fece fare la parte della Madonna. La mamma mi appuntò un foulard sui capelli: un velo morbido azzurro che impresse sul mio viso un'aria assorta e solenne.

Poi la maestra cominciò ad ammalarsi – sparendo dapprima per un periodo abbastanza breve. Tornò che era più pallida e magra. Dopo di che scomparve per un periodo lungo, interminabile – e la sostituì un'altra maestra che mi prendeva il quaderno da sotto il naso per mostrarlo ai miei compagni, precipitandomi nel disonore di una grafia tremolante.

L'ultima volta che venne a trovarci, rimase tutto il tempo con il cappotto e io sentii che anche così aveva freddo. Al momento di andarsene, salutò i miei compagni con due baci. A me ne diede uno solo, tenendomi a lungo il viso tra le mani.

Poi non tornò più, né oggi, né domani, né dopodomani. Ma io non feci domande, e la sera a letto continuai a immaginarmela in quella casa, nel frastuono e nello scompiglio dei suoi animali.

ESMERALDA

L'immagine della maestra sbiadì piano piano, pallido spettro che si volatilizzò un giorno con l'ingresso prepotente di una bambola nelle mie fantasie serali.

Era una di quelle bambole-donne che si vincevano alle fiere, stranamente somiglianti alle ragazze dietro ai banconi del tiro a segno: il colorito bronzeo, le palpebre dai ciglioni ricurvi che si alzavano e abbassavano su vitrei occhi blu, le labbra carnose e le unghie dipinte di rosso, la ruota dell'ampio vestito di tulle rialzata dietro i capelli corvini.

L'avevo vista a casa della nostra cameriera, Paquita, che aveva quindici anni e molti spasimanti, e che era nata ad Alicante, in Spagna. Una domenica pomeriggio portò me e mia sorella dai suoi genitori. Facevano i portieri in un palazzo del quartiere e tutta la famiglia dormiva nella stessa stanza, che comprendeva anche una cucina a gas e un lavandino, mentre il gabinetto si trovava nel cortile.

A una parete erano appesi il manifesto di una corrida con el Cordobés e un paio di nacchere lucide come castagne: due piccoli specchi che mi deformavano la faccia. Seduta sul letto, poi, a coronare il fascino esotico di tutto quel posto, c'era la bambola. Ne rimasi folgorata, diversa com'era dai bambolotti con i quali giocavamo allora io e mia sorella.

Nonostante le preghiere e i capricci, però, dovetti aspettare tanto tempo prima che me la regalassero, e la sera mi sembrava di sentirla distesa a letto accanto a me, sentivo la sua pelle fresca, a granuli leggeri, e sapevo i suoi occhi chiusi come i miei: una gemella, solo molto più affascinante di me. Finalmente, un giorno d'estate, mio padre la vinse per me sparando in bocca a un orso di cartone a una sagra di paese.

Papà aveva appena comprato un'antica villa di campagna in Toscana, vicino alla sua città natale. Si chiamava Schifanoia, un nome brutto, e per di più ridicolo, di cui mi sarei a lungo vergognata. Quando vi andammo tutti per la prima volta, la casa era semivuota.

Mi portano a fare un giro. Qualche mobile, imponente e scuro, qua e là negli ampi saloni affrescati. Un odore di muffa. Echi di passi. E, sì, porte cigolanti e una scala di legno intarsiato che geme a ogni gradino. In cima, una porta a vetri colorati, su cui troneggia una specie di drago alato.

Non mi sento a mio agio lì dentro e tengo la mia nuova bambola (poco più bassa di me) afferrata ben stretta al mio fianco, il tulle del suo vestito rosa pallido che mi pizzica il braccio e che di tanto in tanto struscia per terra, preoccupandomi. Poi mi dicono: "Puoi uscire, se vuoi, ma non allontanarti. Ci sono in giro gli zingari". Dopo qualche esitazione mi avventuro fino alla soglia di una delle porte-finestre che danno sul parco, e subito sento un fruscio tra i cespugli mentre nel verde vedo balenare qualcosa. Faccio un passo indietro nel grande ingresso a volte e chiamo: mia madre, mio padre, mia sorella. Non risponde nessuno. Temo di perdermi, se vado alla loro ricerca. Allora mi siedo in una poltrona, sistemo la bambola sulle mie ginocchia aprendole ben bene la gonna, così da nascondermi dietro di lei. In quello stanzone deserto e silenzioso un filo di inquietudine mi attraversa tutta: è la villa, sono gli zingari e l'incerto confine tra loro e noi, clan di nomadi venuto ad accamparsi in un posto che non gli appartiene. E in quel momento trovo il nome per la mia bambola, un nome magico, un esorcismo che placa all'istante la mia paura: si chiamerà Esmeralda, come Gina Lollobrigida nel film Notre-Dame de Paris, la zingara che è come me adesso, sola infelice e fiera, e che mi salverà dai suoi fratelli, ombre furtive tra i cespugli con ogni tanto uno scintillio di orecchino o di pugnale.

IL CASTRINO

Ogni anno passavamo a Schifanoia tre mesi delle nostre lunghe estati, e così la paura svanì, ridotta a un pugno di misteri che mi portavo in tasca nelle mie scorribande tra soffitte e cantine.

Io e mia sorella avevamo fatto amicizia con le figlie dei mezzadri che abitavano nella casa colonica proprio sotto la villa, oltre un vecchio cancello che lasciava una polverina rossa sulle mani. Si chiamavano Mirella e Annarita, erano cugine, avevano pressappoco la nostra età. Giocavamo insieme ogni giorno – ma non tutto il giorno – perché loro dovevano lavorare. E se non eravamo noi ad andarle a prendere, loro non si presentavano mai al portone della villa. La mattina presto io e Clara ci precipitavamo giù per la stradina e, via oltre il cancello, irrompendo in casa loro attraverso la porta quasi sempre aperta: "Allora, andiamo?" dicevamo subito, senza salutare, sicure del loro "sì" perché, in fin dei conti, giocare è naturale e cos'altro dovrebbero fare i bambini l'estate? Talvolta, invece, il muso di Mirella, o Annarita che guardava dall'altra parte vaga, ci facevano capire che proprio non tirava aria: "No, non possiamo. Dobbiamo fare le faccende". E magari la madre di Mirella, Piera, una donna rubizza e gioviale, tagliava corto:

"Su, citte, tornate domani". Era una delusione – io e Clara ci ritrovavamo a dover giocare da sole, e a quel punto era come infilarsi in un vestito troppo stretto.

Qualche volta lavoravamo con loro, con il risultato di fargli perdere un sacco di tempo. Perché anche governare i maiali diventava un gioco – i maiali sono così cattivi, quando ti sentono arrivare con il pastone si lanciano contro la porta della stalla grugnendo da far paura. E io e mia sorella ci avvicinavamo, per scappar subito via ridendo tutte eccitate non appena quelli si facevano sotto.

Quando nascevano dei maialini nuovi veniva il castrino. Era un avvenimento. Mirella e Annarita ce lo annunciavano il giorno prima e per nulla al mondo io mi sarei persa lo spettacolo.

Col cappello in testa il castrino si siede su un panchetto nell'aia. Ai suoi piedi mette un catino in cui versa un liquido viola, di un viola così selvaggio che ti rimane negli occhi per sempre. Poi stende per terra un fazzoletto sul quale posa una specie di rasoio da barbiere, estratto dalla sua valigetta di cuoio. Le famiglie di Mirella e Annarita sono lì al completo, con un'aria di rispetto davanti al castrino – che è un professionista, serio e di poche parole. Partecipano tutti, cercando di afferrare nella stalla i maialini che corrono impazziti, sbattendo di qua e di là tra guaiti di terrore. Quando ne acciuffano uno, lo posano sulle ginocchia del castrino che gli allarga svelto una zampa, cosparge l'inguine di liquido viola, alza il rasoio scintillante e, zac: un piccolo taglio da cui escono due palline rosa – che lui butta con disinvoltura dentro un secchio.

Io osservo ipnotizzata la scena. Cosa questo rito significhi di preciso, non so, né oso mai chiederlo a nessuno; è la porta socchiusa su una stanza dei pericoli che mi attrae e mi terrorizza. Oltre quella porta, insieme al castrino e al gioco del dottore che facevamo nel parco con le nostre amiche, c'era santa Maria Goretti, che era la santa preferita di Mirella e Annarita (mentre io e mia sorella avevamo scelto santa Chiara, perché era amica di quel Francesco capace di parlare coi lupi). A turno ci raccontavano la sua storia. Una storia piuttosto confusa, perché non veniva mai fuori ciò a cui la santa si rifiutava prima di essere massacrata da quel tale. A loro piaceva raccontarla così, tra risolini d'imbarazzo e timore, e a noi piaceva quel capire e non capire che ogni volta ti faceva desiderare di sentirla di nuovo. Noi, quella storia, non la raccontavamo mai. Era repertorio esclusivo di Mirella e Annarita, come la canzone "Mario sì giovane", che narrava di un soldato, Mario, innamorato di una fanciulla, "una rondinella di primavera". Mario andava al fronte sul Monte Nero e lei lo tradiva con il "tenentino". Al suo ritorno lui lo scopriva, e visto che "pur vivendo di poesia era sincero" la uccideva a fucilate.

Quando le due cugine la salmodiavano sull'attenti, una fosca fatalità nei loro sguardi, la pelle mi si accapponava tutta e la testa mi girava, come presentendo il rischio che avrei corso a crescere e a diventare donna.

DAME DAME

Nel giardinetto della nostra prima casa a Parigi tenevo una tartaruga, Ruga. Una mattina, quando le portai la sua foglia d'insalata, mi accorsi che non c'era più. Allora piansi e mi disperai, ma mi mandarono a scuola ugualmente.

Quello stesso giorno alle quattro, un pomeriggio d'inverno che faceva già buio e le luci del salotto erano tutte accese, suonò per la prima volta al campanello la governante che doveva occuparsi di me e di mia sorella. Sebbene il nostro non fosse un viale di ciliegi ma di ippocastani, nutrivo grandi speranze di ritrovarmi di fronte a Mary Poppins, o a qualcuno di simile a lei nei tratti più rilevanti, che per me erano – ovviamente – la facoltà di rimettere in ordine senza alzare un dito o quella di saltare dentro un paesaggio dipinto su un marciapiede, ritrovandosi in un mondo di giostre e di zucchero filato. Una persona così, inoltre, avrebbe subito scoperto dove fosse andata a finire Ruga.

Non appena squilla il campanello, io e Clara ci precipitiamo alla porta, e mai come adesso m'esaspera il passo misurato della mamma e le grido: "Dài, mamma, fai presto, è un sacco che aspetta". Finalmente ecco mia madre che apre la porta, ma io ancora non vedo nessuno, essendo dietro di lei, sento solo una voce che saluta sulla soglia, e mi delude, la voce non corrisponde. Poi la governante entra: con l'età non ci siamo, registro subito a conferma dei miei timori, poiché Mademoiselle Bernard è già piuttosto inoltrata in quella landa remota popolata di capelli grigio-bianchi e schiene curve. E nemmeno l'abbigliamento quadra, visto che mancano i due pezzi fondamentali: la borsona e l'ombrello. Il cappellino, per fortuna, c'è: non identico, perché questo è un basco, ma comunque lì, al suo posto, a testimoniare una possibile, agognata stravaganza, magari annidata nello spillone con la capocchia a forma di testa di negretto.

Ci accomodiamo in salotto e, mentre parla con la mamma, ogni tanto Mademoiselle sorride a Clara e a me mostrando due prodigiosi incisivi, sporgenti e separati da un buco nero. Ma poiché la mamma dice sempre che né l'età né l'apparenza delle persone sono importanti, punto risoluta sulla sua anima, su una qualche incorporea affinità tra lei e Mary Poppins. La sto scrutando quando Mademoiselle tira fuori dalla borsetta una scatola di plastica trasparente con un coperchio dorato e offre a ognuna di noi una caramella rossa.

Tutto qui: bastò quel gesto a far franare in me ogni resto di speranza. Comunque la si fosse rigirata, Mademoiselle non aveva proprio la stoffa di Mary Poppins, le cui meravigliose facoltà s'intrecciavano nella mia mente a una maniera aspra e ritrosa. E così salutai e me ne andai a giocare in camera mia, finché Clara non venne ad annunciarmi che era fatta: Mademoiselle sarebbe venuta tutti i giorni, esclusi il sabato e la domenica, dalle tre alle sei.

Dame Dame, come la ribattezzò Clara, era nata nel 1899 e a un certo punto un'idra a tre teste (Guerra, Fallimento, Divorzio) le aveva sconvolto la vita. Suo padre, Henri, era stato un ricco industriale tessile, la madre, Jeanne, una donna molto bella – come documentava una foto che la ritraeva con un vestito di pizzo bianco e un ombrellino a riparare lo chignon, morbido come un nido di piume.

"Sapete, bambine, erano les Années folles" ci raccontava Dame Dame, e Jeanne e Henri, elegantissimi e innamorati, si facevano vedere alla passeggiata pomeridiana al Bois, ai grandi premi di Longchamp, ai balli del conte d'Orgel e della marchesa du Plessy, a Deauville e alla Baule d'estate. Venne la Guerra e la fabbrica di Poissy fu dichiarata in Fallimento; Henri, disperato, cominciò a fare delle sciocchezze (Dame Dame non ci disse mai cosa, precisamente) e Jeanne se ne andò di casa con le tre figlie. Qualche anno dopo ci fu il Divorzio.

Nei primi tempi Dame Dame seguiva gli incerti affari di mio padre con un interesse intriso d'ansia. E bastava l'accenno di papà o della mamma a una qualche difficoltà perché l'Idra tutta intera le si ergesse davanti. Allora Dame Dame doveva di nuovo affrontare una dopo l'altra le sue mostruose teste, così che nel tentativo di mozzarle con la parola raccontava tutta la vicenda da principio. Era per colpa dell'Idra che aveva dovuto cercarsi molto presto un lavoro senza poter finire gli studi. E più tardi, per non lasciare sola la madre, aveva rotto il fidanzamento con André, che ogni sabato la portava a fare un picnic nella Foresta di Fontainebleau. Per diversi anni aveva fatto da assistente a un orafo, disegnando persino un anello (che lei indossava nelle grandi occasioni) premiato all'Esposizione Universale.

I suoi gesti quotidiani più banali erano circonfusi di un'aura che mi faceva venire in mente cose preziose e rare. Dame Dame, per esempio, non faceva i suoi acquisti nei negozi, ma in quelle che lei chiamava "maisons". "Oh, oui, je l'ai acheté dans une très bonne maison, très ancienne, à Filles du Calvaire." Mi affascinavano questi nomi di stazioni esotiche del métro in cui io non avevo mai messo piede e che mi davano l'improvvisa vertigine della metropoli misteriosa e viva ai confini del mio scialbo quartiere residenziale e mi affascinavano quelle "maisons" che, traducendo letteralmente, io immaginavo come case, con bei mobili di legno vecchio e signore che ricevevano i clienti in salotto offrendo loro merci così esclusive da sembrare regali.

Dame Dame era elegante e ci teneva moltissimo (anch'io ci tenevo, provando una sottile soddisfazione nel constatare i suoi perfetti abbinamenti di colore). Il suo forte erano i cappelli. Ne aveva molti: verdi, rosa, viola, con piume, velette o fiori, di tutte le fogge, e ciascuno le lasciava i capelli schiacciati in una maniera particolare, modellandovi una nuvola, l'ala di un uccello o una scodella rovesciata. Se Dame Dame si era tolta il cappello, e a un tratto le sembrava di sentire la voce di mio padre in corridoio, se lo rimetteva al volo perché le facesse i complimenti. Compito a cui lui non si sottraeva mai, cogliendo questo o quel dettaglio che le donava, magari con una punta di ironia o una lucina beffarda negli occhi. Ma a Dame Dame andava bene lo stesso.

Quando ci lasciava alle sei era per andare a prendere servizio da una vecchia bisbetica, per di più invalida e pesante, cui faceva da dama di compagnia fino all'indomani. Questa signora si chiamava Madame Rodin, era la vedova di una specie di filosofo, molto famoso, e a Dame Dame faceva vedere i sorci verdi. Era dispettosa e cattiva, ci raccontava lei. La faceva diventar matta a cercare uno dei suoi pettinini di tartaruga, accusandola magari di averlo perso, e poi si scopriva che l'aveva nascosto sotto il guanciale. "Ma tu perché non ti arrabbi?" chiedevo a Dame Dame, indignata dalla malvagità della vecchia. Ma lei si limitava ad alzare le spalle con aria di superiorità. A me comunque dispiaceva vederla partire col buio, l'inverno; l'immaginavo giù nelle interminabili gallerie della stazione Concorde, dove cambiava linea una volta, spintonata dalla calca dell'ora di punta, una mano a tener fermo il cappello, l'altra il cappotto, entrambi scompigliati da buffi di vento ferruginoso e caldo; poi di nuovo fuori, al freddo, mentre si arrampicava per rue de la Montagne Sainte-Geneviève, su su, fino nell'antro della strega.

L'estate Dame Dame passava un mese intero nella proprietà che Madame Rodin aveva in campagna vicino a Colombey-les-deux-Eglises, paese elettivo di De Gaulle. E in quel mese si ripeteva ogni volta l'epifania che la ricompensava di tutte le fatiche dell'anno, della sua dura lotta contro la mediocrità del mondo, riportandole da molto lontano, dai tempi prima della Guerra, del Fallimento e del Divorzio, una ventata di grandezza. L'incontro con il Generale.

De Gaulle era stato amico di Rodin e ogni anno tributava alla vedova una visita di cortesia. Spettava a Dame Dame l'onore di ricerverlo alla porta e di accompagnarlo in salone.

"Bonjour, mon Général" gli diceva lei, e lui le rispondeva: "Bonjour Mademoiselle Bernard, je me souviens de vous l'an dernier". La scena si svolgeva sempre così e, ogni anno, al ritorno dalle vacanze, Dame Dame ce la raccontava, rossa in viso per l'emozione e l'orgoglio, stupefatta che il Generale si ricordasse del suo nome e di lei, commossa dalla sua munifica memoria.

LA MARIANNA

In Francia c'era il lavoro di papà, la scuola, Dame Dame, c'erano mesi e mesi d'inverno e alcuni amici dei miei genitori con figli slavati e tristi per le troppe ore passate sui banchi. Per come la vedevo io, la Francia era il paese dove i soldi erano veri e valevano in tutte le stagioni, mentre quelli italiani erano finti e avevano corso solo nel gioco dell'estate. Di questa differenza c'erano alcuni segnali inequivocabili. I biglietti italiani erano esageratamente grandi e facevano somigliare i portafogli estivi ad armadi della biancheria strabuzzanti di lenzuoloni piegati. In tale eccesso io scorgevo la prova della loro falsità, come quando si esagera dicendo una bugia. E anche gli zeri erano troppi. Preferivo la modestia e la sincerità dei francesi, che ne avevano eliminati due o tre. Per quanto riguardava le monete, nel metallo della lira c'erano due cose che non andavano: il peso e il colore. Troppo leggero il primo, grigio e privo di lucentezza il secondo, mentre la moneta francese ti brillava nel palmo come una piccola luna. Ma per me, a decidere le sorti di questo duello monetario, era la Marianna dal berretto frigio che adornava i dieci, i venti e i cinquanta centesimi con il suo giovane profilo e i capelli al vento, mentre nella moneta da un franco compariva tutta intera, come impegnata in una folle corsa, trattenendo con un mano la borsa a tracolla. Ma dove starà andando? E perché corre in questo modo? mi chiedevo. E non trovando risposta la Marianna mi procurava una nostalgia di ciò che non avrei saputo né visto mai, potendo solo provare a immaginarlo.

Tra le due lingue, invece, a ritrovarsi confinato in un'esistenza effimera e semifittizia era il francese. Compariva sul nostro orizzonte solo alle tre, con l'arrivo di Dame Dame, disegnando una breve orbita durante i nostri giochi con i bambini-francesi al Champ de Mars, per tramontare bruscamente alle sei quando Dame Dame se ne andava. A casa non lo parlavamo mai e quanto alla scuola frequentavamo quella italiana. Lo indossavamo facilmente come un vestito adatto a qualche scopo – una tuta da ginnastica, un tutù – salvo poi sfilarcelo di dosso con un solo gesto disinvolto.

Io e Clara avevamo fatto amicizia con qualche bambina-francese (due parole che diventarono presto una sola nel lessico di noi fratelli). Carlo e Pietro, invece, i bambini-francesi non li potevano soffrire. Tornavano dal parco furiosi e lividi di risentimento perché quelli li avevano presi in giro gridando: "Olé, toréro. Italiens-spaghetti-paella".

Una volta ci riuniamo tutti per registrare un nastro da mandare alla nonna Irene, madre di papà. Carlo dichiara al microfono: "Cara nonna, Parigi è una città molto grande e bella. Ma i bambini-francesi non ci piacciono, sono molto presuntuosi e arroganti e non sanno nemmeno la geografia. A noi ci confondono con gli spagnoli e questo ci fa talmente arrabbiare che per poco l'altro giorno non facciamo a botte e sicuramente la prossima volta non la passeranno liscia". Sono molto impressionata dalla gravità del tono di Carlo. Di solito non m'importa tanto quello che succede ai miei fratelli, ma adesso mi torna in mente Ettore Fieramosca e la disfida di Barletta nel sussidiario, e allora m'immedesimo nella mia nuova parte: d'ora in poi sarò la sorella dei patrioti alla riscossa, una parte che prevede l'arduo equilibrio tra apprensione e dignità.

Quel ruolo tuttavia mi stufò presto, perché i miei fratelli presero a fare a botte con i bambini-francesi troppo regolarmente e con troppo gusto.

Per noi ragazzi la Francia era Parigi e quando, alla fine dell'estate, tornavamo in macchina dall'Italia, la provincia francese ci appariva come un vasto mare grigio che rispecchiava la malinconia della fine delle vacanze. Erano gli ultimi giorni di settembre, pioveva già incessantemente sui paesi deserti che attraversavamo. I bambini-francesi avevano ripreso la scuola da un pezzo, quella scuola che durava mostruosamente anche il pomeriggio, e dove c'era sempre da sgobbare per conquistarsi un qualche premio d'onore o d'eccellenza. Quando i miei genitori provarono a mettermi alla scuola francese, mi ribellai con una violenza e una determinazione tali da farli subito desistere: volevano forse che diventassi pallida come i bambini-francesi? Una secchiona triste? Volevano forse seppellirmi viva? No, non era questo che volevano – non parliamone più. Ma capirmi, no, non mi capivano. La Francia aveva impresso sui loro volti un'aria di costante stupefazione, come davanti a un lungo miracolo. Mio padre, che aveva vissuto della rendita delle sue terre, provandosi senza gioia né successo in molti mestieri (avvocato nella sua provincia, venditore di biancheria fiorentina in America, rappresentante di una marca di sigarette in Venezuela), si era lanciato in Francia in un'impresa di costruzioni che lo rese ricco in qualche anno dando un'ignota stabilità a tutta la famiglia.

Parigi poi li inebriava e non si stancavano mai di andare a guardarla, caricando sulla Carolina tutti e quattro i figli. Via: si parte, su fino a Montmartre per vedere la città dall'alto, e la sera un giro per place de la Concorde, un giro e poi un altro e un altro ancora.

Papà amava Notre-Dame, la mamma la Tour Eiffel. Io vedevo Notre-Dame come una damigella che si tirava su lo strascico con le esili braccia, e la Tour Eiffel come una ragazza spiritosa, vestita di metallo. M'immaginavo che fossero amiche e, non potendo parlarsi nel frastuono della metropoli, affidassero i messaggi ai piccioni che instancabilmente volavano dall'una all'altra.

A mio padre piaceva il Louvre, alla mamma l'Orangerie, dove c'erano gli impressionisti. Al Louvre decisi che da grande avrei fatto l'archeologa, per ritrovare un giorno, scavando con le mani nella terra morta, le braccia bianche della Venere di Milo. All'Orangerie, davanti alla cattedrale di Rouen a varie ore del giorno, volli invece diventare pittrice all'aria aperta. Ma una sera mio padre mi disse che ero una girandola, e anche una pottona, a cambiare così spesso idea su quello che avrei fatto da grande, gridandolo ogni volta ai quattro venti. Io ci rimasi male e anche se ebbi voglia di rispondergli che lui, però, di lavori ne aveva cambiati tanti, non dissi niente e da allora mi sforzai di non farmi venire in mente altre idee o quanto meno di non andargliele a raccontare. Una volta però non riuscii proprio a frenarmi.

È domenica, l'ora di pranzo. Siamo tutti a tavola, in un ristorante che si chiama Chez Jeanette. Una barba senza fine, ci mettono una vita a servirci, la conversazione langue, non abbiamo niente da dirci, davvero una noia tremenda ed è solo l'inizio perché, dopo pranzo, i genitori hanno previsto di andare al Marché Suisse, un mercato dell'antiquariato, e non c'è niente che io e Clara temiamo di più di una domenica pomeriggio (già sconsolante di per sé) passata ad aggirarsi tra roba vecchia. Finalmente arriviamo al dessert e, davanti a quelle ciotole, una fumante di soufflé al cioccolato, l'altra sgocciolante di gelato alla vaniglia, mi viene una parlantina che lascia sbalorditi i miei famigliari. M'ingozzo volta volta di soufflé e di gelato, poi prendo una cucchiaiata dell'uno e dell'altro e le mischio nel piatto riducendole a una poltiglia disgustosa, e intanto parlo, dico tutto quello che mi passa per la mente, un sacco di stupidaggini – che l'Italia e la Francia sono cugine, ma non so perché i francesi mi sembrano i nonni degli italiani, nonni brontoloni, e sempre un pochino tristi, che l'altro giorno, quando mi hanno intervistata in televisione e mi hanno chiesto: "Lei, signorina, preferisce l'Italia o la Francia?", be', lì per lì non sapevo proprio rispondere, perché pensavo a tutte le cose belle che ci sono nei due paesi, e alla fine gli ho detto che in ogni caso io agli spaghetti non ci avrei rinunciato neanche morta e nemmeno ai dolci francesi... Parlo e rido e mangio e parlo, per riempire il vuoto che c'è dentro di me e tra di noi, e alla fine mi scappa:

"Lo sai papà cosa farò da grande? La più brava cuoca italiana-francese di pasta e soufflé al cioccolato con gelato alla vaniglia".

Mia madre rise, e rise anche mio padre, ma poi aggiunse che ero proprio tutta scema.

LA ZARINA GRIGIA

Avevo circa sei anni quando a mio padre, che era stato ufficiale di cavalleria, tornò la febbre dell'equitazione. Forse avevo semplicemente detto: "Il cavallo è il mio animale preferito. Quanto mi piacerebbe saper cavalcare". Ma con il padre magico che avevo quel mio immediato desiderio doveva presto tradursi in solida e scalpitante realtà. A sette anni avevo già due avellinesi, Usci e Ubi, e due purosangue inglesi, Blue Lady e Palmira Rose. Questi cavalli erano "miei", mentre papà si era riservato la Gonda, una frisona che pareva uscita dritta dall'inferno quando, nera, ballava i suoi sabba sfrenati. Ogni volta che mio padre la liberava nel recinto era uno spettacolo: dapprima s'impennava, la coda come una frusta, la lunghissima criniera che spennellava di nero il cielo, l'occhio selvaggio e spiritato, i pelosi zoccoli da diavolo che percuotevano il suolo in un tripudio di potenza. Quando si era calmata un po', cominciava a trottare lungo la staccionata: un giro, due, tre, dieci, venti, cinquanta – instancabile ci passava davanti scuotendo la sua meravigliosa testa, il collo ben inarcato, e mio padre le diceva: "Bella, Gonda, vai. Come sei bella", mentre io non dicevo niente, ammutolita dall'ammirazione. Di tanto in tanto l'attaccavamo al calesse ed era una lunga cerimonia, con tutti quei finimenti complicati su cui mi sbagliavo sempre. Ma poi, via: il cigolio delle ruote, il fruscio dello sverzino sulla ghiaia, Gonda che d'inverno fumava e sbuffava come una locomotiva, un sassolino che ogni tanto ti arrivava in faccia e, certo, l'aria – non quella violenta e turbinosa della macchina a finestrino aperto, né quella più lieve della bicicletta ma che pagavi col sudore – l'aria da trotto o da calesse, perfetta per gli umani, che non ti confondeva i pensieri.

Anche Usci e Ubi erano cavalli da calesse, ma mio padre ce li faceva montare. A me e a mia sorella, intendo, e il loro trotto serrato ci spezzava la schiena. Per Clara era ogni volta un'agonia, così evidente che non appena lei diceva: "Basta, papà, voglio scendere", lui con sollievo la faceva scendere. Gli annunci di smobilitazione da parte mia, invece, venivano puntualmente respinti: "No, tu continua. Forza e coraggio, ché andrai lontano. Tra qualche anno farai le Olimpiadi. Ti comprerò un cavallo che farà schiattare d'invidia anche Anna d'Inghilterra". E io continuavo, esausta, le gambe doloranti, incapace ormai di battere la sella.

Un giorno partimmo io e lui da Parigi, per la prima volta soli. Destinazione Pau, una cittadina nel sudovest della Francia, dove viveva una famiglia di allevatori di angloarabi. Più che contenta, ero emozionata e mi inquietava un po' l'idea di tutta quell'intimità nuova con mio padre, giorni e giorni da attraversare insieme, soli. In treno mi misi a scrivere. Con una penna stilografica a inchiostro turchese che adoravo, cominciai ad annotare sul quaderno ciò che vedevo dal finestrino: campi e campi come un'immensa coperta patchwork e, di tanto in tanto, un gruppetto di mucche dall'aria malinconica. A un certo punto mio padre mi chiede se può leggere quel che sto scrivendo. Gli porgo il quaderno senza esitare, ma subito mi pento: e se poi pensa che sono tutte stupidaggini? Quando ha finito mi guarda serio – non mi ha mai guardata così, uno sguardo lungo di sorpresa e come di rispetto – e poi mi dice: "Brava, mi piace come scrivi, mi piace l'idea della coperta". Io tocco il cielo con un dito e, quando mi rimetto a scrivere, la musa tace e i campi i boschi i fiumi dell'umida Francia non m'ispirano più nulla.

A Pau andammo all'Hotel de la Poste, una cameretta molto carina affacciata sulla piazza dove si svolgeva il concorso ippico, ma così piccola che il mio papà massiccio e corpulento non poteva uscire dal bagno se non chiudevo la valigia.

Assistevamo alle gare, cui partecipavano gli innumerevoli figli della coppia che allevava angloarabi. Il marito era un ometto tutto muscoli, un Braccio di ferro col basco, e lei, lunga lunga e seccaragna, era Olivia sputata. Si davano del "vous", e un confuso stupore mi assaliva davanti al fatto che si potessero fare tanti figli insieme senza ancora dirsi "tu". Con mio padre mangiai lumache e aglio e cosce di rana.

Un giorno, verso la fine, scegliemmo i nostri cavalli: tre angloarabi di tre anni (lo stallone Scapin, e due giumente, Urhéane e Ukrainienne) e una purosangue irlandese, Ardenza Lady. Olivia e suo marito ci regalarono un cagnolino, un cucciolo di setter irlandese che battezzammo Red.

Qualche mese dopo, in estate, i cavalli (e Red) arrivano in campagna dalla Francia, stremati, nervosi. Caracollano giù dal camion con nitriti e scalpitii che mi riempiono le orecchie di disagio. Le vene affiorano sui loro colli, tempestati dalle punture dei tafani. Gli uomini faticano a tenerli e mio padre ordina che vengano lasciati nei recinti: le femmine da una parte, Scapin dall'altra. Ruzzano per almeno un quarto d'ora e quando gli altri si sono già sfogati Urhéane galoppa ancora, il cucciolo Red attaccato coi denti alla sua coda, una palla rossa che plana a venti centimetri da terra.

Fu così che scelsi lei. Crescemmo e imparammo tutto insieme, passo passo. Per gioco mi prendeva la mano, trascinandomi con sé nei suoi rodei come faceva con Red. E a me non rimaneva che abbandonare le redini e stringere forte le gambe, suggellando così il patto di un rapporto alla pari: subire senza storie gli umori l'una dell'altra. Per Urhéane eravamo una cosa sola e se qualche volta ebbi paura fu che lei, presumendo della propria destrezza in quelle corse spericolate, commettesse un errore facendoci rovinare al suolo entrambe.

La paura vera che conobbi fu, più tardi, il regno dell'altra, la terribile, la zarina grigia Ukrainienne. Già prima di montare in sella mi tremavano le gambe e lei che non aveva pelle, che era carne viva, avvertendo la mia malferma vicinanza veniva come attraversata da una corrente di fastidio. Un fastidio che diventava intollerabile una volta che ero salita in sella, quando addirittura la sfioravo con quel mio tremolio plebeo. Non c'era altro che potesse fare: doveva scaricarmi, presto, subito, adesso, con qualunque mezzo. Allora s'impennava più e più volte con agghiacciante determinazione. Se riuscivo ad attaccarmi al suo collo, buttando tutto il peso in avanti, ecco che si metteva a scalciare furiosamente per farmi volare sopra la sua testa. Se non cadevo subito, si lanciava a tutta velocità contro i muri del maneggio o contro la staccionata per inchiodare poi all'improvviso. Confusamente udivo le urla di mio padre o dell'istruttore, mi dicevano di fare qualcosa, fare qualcosa, ma cosa, cosa potevo fare. Le volte che non cascavo, scendevo lo stesso da cavallo in un mare freddo di sudore, disperata. La zarina grigia, che qualche anno dopo sarebbe stata campionessa di Francia con un altro cavaliere, era troppo per me, ma non potevo ammetterlo. E quando quel giorno sentii la mamma, sconvolta dalla preoccupazione, che gridava chiaro e tondo a mio padre: "Come puoi non rendertene conto, pazzo incosciente che sei, la bambina non ce la farà mai con quel cavallo" – ebbi la mia prima umiliazione.

BARBIE

Tra le nostre amiche, io e Clara fummo le prime ad avere una Barbie. Un giorno arrivò nella mia classe una bambina con i capelli ancora più lunghi e riccioluti dei miei. Per attaccare discorso le chiesi: "Fanno male anche a te i nodi nei capelli quando te li pettinano?". E senza aspettare la sua risposta, per impressionarla, sparai: "Domani me li rapano a zero". Fece una faccia di terrore che me la rese subito simpatica.

Poi scoprii che anche lei aveva una sorella più piccola e, con grande eccitazione, pregustando un'amicizia senza limiti, una totale intimità, seppi che abitavano nello stesso palazzo dove ci eravamo trasferiti anche noi da qualche mese.

Siamo in macchina: come sempre la mamma è venuta a prenderci a scuola. A precipizio le racconto della bambina nuova, che si chiama Anna e che abita nel nostro palazzo, poi gliela indico col dito tremante mentre, insieme alla madre e alla sorella, si sta allontanando sul marciapiede. "Mamma, non potremmo portarle a casa in macchina con noi?" imploro allora, fremente di desiderio. Mia madre mi fissa negli occhi, soppesando al volo l'urgenza, la serietà della mia supplica, e poi spalanca la portiera, salta fuori dalla macchina, e ora eccola che corre, corre, il mio cuore che trasale ad ogni suo balzo di leonessa a caccia della preda per il piccolo affamato, grata, così grata a mia madre che sta correndo verso quelle figurine lontane sul marciapiede per proporgli di riaccompagnare a casa anche loro. Da quella volta mia madre ci portò e ci venne a riprendere a scuola tutti i giorni, mentre il padre di Anna e Gabriella veniva a riprenderci soltanto il sabato. E da quella volta cominciammo a giocare insieme tutti i pomeriggi, il lunedì da loro, tutti gli altri giorni (esclusi il sabato e la domenica, riservati alla famiglia) a casa nostra. Apparentemente tale squilibrio non aveva un motivo preciso, ma a me andava bene, perché a casa loro non avevamo il permesso di giocare con Barbie. "Perché?" osai chiedere un giorno alla mamma delle mie amiche. "Perché Barbie ha il petto" rispose lei. E quello fu tutto. Non osai invece raccontarlo a mia madre, e quella sera la guardai con sospetto chiedendomi se non ci fosse da vergognarsi di una mamma che ti lasciava giocare con una bambola col petto.

La domenica mattina mio padre ci portava al drugstore a comprare un vestito nuovo per le nostre Barbie. Noi tre in macchina: papà al volante, una di noi davanti o magari tutte e due. La radio: talvolta canzoni francesi con un lamento di fisarmonica, talvolta le corse a Longchamp. I quais – un grigio nastro in corsa, solenni palazzi dalle finestre sempre chiuse, fredde come specchi. Ma io mi sentivo leggera, come il nostro cinguettio nell'angusto cielo della macchina. "Io voglio il vestito di Barbie a Natale." "Io, quello di Barbie cavallerizza!" "E Ken, il fidanzato di Barbie, non lo vuole nessuno?" azzardò una volta mio padre. "No, Ken no" ribattei decisa, "a noi i maschi non ci piacciono." "Neanche il babbo?" fece lui. "Sì, papà sì" mormorai, abbassando la testa. Un po' mentivo, perché, anche se gli volevo bene, lo avrei preferito femmina.

C'era un vestito di Barbie che adoravo tra tutti, quello

di Barbie regina. Lungo, sbuffante, immenso, di broccato d'oro – e poi un lucente mantello orlato d'ermellino, scarpette a spillo d'oro, una corona di brillanti, una collana di smeraldi e uno scettro a torciglione con l'emblema della famiglia reale: una grossa B gotica blu in campo giallo. C'è una ragione per cui lo ricordo così bene.

Una volta i miei genitori furono invitati a un ballo al castello di Versailles.

È sera, io e Clara siamo già in pigiama, a bagno fatto. In camera dei nostri genitori, sediamo sul letto singolo della mamma. Loro si stanno preparando, entrano ed escono dal bagno di marmo rosa. Sono eccitati, parlano di questo e di quello ridendo un po'. Poi la mamma tira fuori qualcosa dall'armadio, una specie di sacco, molto ingombrante, e ci dice: "Non guardate, bambine, non guardate" e goffamente, con quel grosso coso tra le braccia, va a chiudersi in bagno. Io aspetto tanto, un tempo interminabile, ma poi mia madre appare, mia madre con il vestito di Barbie regina, non così sbuffante, ma lungo sì, e di broccato d'oro, e anche le scarpe sono d'oro. E il suo viso è tutto percorso da risolini timidi, ma è molto, molto contenta – lo vedo – e mio padre sorride e gli occhi gli brillano di una lucina furba. E poi papà le dice: "Guarda un po' sotto il tuo cuscino...". E la mamma viene verso il letto, dove siamo sedute noi, e infila la mano sotto il cuscino. E nella sua mano c'è un astuccio di pelle verde liscio liscio, chiuso da un automatico. E la mamma, gli occhi come un bosco di notte con la luna che illumina tutto all'improvviso, dice: "Ma che cos'è?". E io so che lei sa e non sa, sa e non sa, e che sarà così – meraviglioso – fin quando le sue dita bianche non faranno scattare quel bottoncino duro. Croc. Dentro c'è una collana di smeraldi a gocce. Mio padre la prende, si mette dietro alla mamma e chiudendogliela delicatamente intorno al collo chiude il cerchio dei miei sogni.

PELLEROSSA

Mia madre, che è nata in America, la sera ci raccontava di quando viveva con suo nonno, Toro Seduto, tra i Sioux della Prateria.

Qualche volta anche papà veniva a sedersi sul letto. E quando alla fine, immancabilmente, Clara diceva: "Mamma, io però non ci credo che Toro Seduto era tuo nonno", papà esclamava ridacchiando: "Ma come! Non lo vedi che bel nasone Sioux ha la mamma!" e glielo pizzicava, e lei si schermiva e ridendo diceva: "Però al nonno Toro Seduto glieli hai pagati dieci cavalli per sposarmi!".

Ne sapeva tante di storie mia madre – e così ricche di dettagli – che a volte, noi che non credevamo che lei fosse un'indiana, ma facevamo solo finta all'inizio di ogni storia per non guastare la sua ispirazione, ci chiedevamo: e se fosse vero?

Ma no, non era vero. Ce ne convincemmo la prima volta che ci portò in America a conoscere la sua famiglia.

Tanto per cominciare, avevano tutti la pelle chiara – tranne forse una vecchia zia con una faccia antica, la pelle come cuoio screpolato, e un grande naso aquilino che le gettava un cono d'ombra sul viso. Ma il guaio, anche con lei, era che si chiamava Rosalinda.

Certo, si esprimevano in una lingua un po' bizzarra quando, con estrema naturalezza, ti annunciavano che stavano andando a far la spesa alla supermarchetta con il carro. Ma non erano pellerossa, no, erano abruzzesi, immigrati in America all'inizio del secolo. C'erano la zia Angelica e lo zio Giacomo, detto Jack, che si erano sposati per procura, perché lui che stava già in America l'aveva fatta venire dal paese. Jack diceva che lui, suo fratello e il padre di mia madre (che era morto giovane) avevano costruito le strade dello stato di New York. Jack aveva costruito anche molte strade e case di White Plains, il sobborgo di New York nel quale vivevano, e in effetti le case si somigliavano talmente che, quando uscivo per una passeggiata, mi perdevo sempre, ed era una fortuna che non fossero tutte dello stesso colore. La loro era bianca, di legno, con porte e finestre rosa – proprio una casa di bambole, mentre io mi ero aspettata che abitassero in un grattacielo. Di tutte le case che conoscevo quella era la mia preferita, né troppo grande, come Schifanoia, dove se cercavo la mamma mi toccava fare chilometri, né come l'appartamento di Parigi, dove ognuno poteva essere soltanto in camera sua o al massimo in salotto, e anche quella era una noia, non c'era mai sorpresa né scoperta, mentre lì, nella casa di Angelica e di Jack, c'erano alcune possibilità, ma non troppe, e se urlavi ti sentivano. Le camere al piano di sopra erano mansardate, e quando mi sedevo a una delle finestre, che sembravano occhi fuori dalle orbite, mi ritrovavo sospesa nel vuoto, all'altezza dei rami dove vedevo saltare gli scoiattoli. In cantina, c'era una sala con i muri rivestiti di legno, un bancone da bar e sgabelli alti e alle pareti c'erano locandine di musical opere e balletti, perché la figlia di Angelica e di Jack faceva la ballerina e suo marito era direttore d'orchestra. Accanto alla sala-bar c'era la dispensa, con un congelatore sempre pieno di gelati e broccoli.

A tavola, Jack mi guardava con i suoi occhi trasparenti e tondi come biglie di vetro, e mi diceva: "Bella! Mangia i broccoli, bella!". E se non li mangiavo, la zia Angelica alzava gli occhi al cielo e con una faccia devastata dalla delusione diceva: "Uane! Non ti piacciono i miei broccoli! Uane...". Ma le passava subito, e riprendeva a masticare con un ruminio da mucca che faceva scoppiare a ridere me e mia sorella.

Erano molto affettuosi con la mamma, che aveva perso da giovane entrambe i genitori, e a tavola lo zio Jack la contemplava per un po', poi le mandava tanti baci con la mano e le diceva: "Uane, Mamie, come sei bella!". E poi si tuffava a raccontare quanto era bella la mamma il giorno in cui incontrò papà a un match di boxe, così bella con il cappellone e gli occhi di velluto, una star di Hollywood, che "l'italiano" c'era rimasto secco e aveva attaccato discorso con lui al solo scopo di conoscere la mamma, che giustamente faceva l'indifferente. Ma poi c'era stata la grande nevicata del 1947, e New York era tutta una stalagmite bianca, e la mamma aveva accettato l'invito di papà a prendere un tè al Plaza, e quando erano tornati a casa, bianchi di neve ed eccitati, lui, Jack, aveva capito che, sì, quell'italiano si sarebbe portato via la sua Mamie, che l'avrebbe portata lontano da tutti loro, così che si era sentito un po' triste e un po' contento, contento per lei, perché papà era bello e intelligente, ma triste per la certezza di dover vivere tutto il futuro senza la sua Mamie.

Ed era perché vivevamo lontano che, a noi, Jack e Angelica facevano un sacco di regali, più che ai loro nipotini: uno specchio con la cornice di conchiglie, due saponi profumati, una ballerina di porcellana con il tutù di tulle, una bottiglietta di plastica a forma di orso per metterci dentro il miele.

Qualche giorno dopo il nostro arrivo, Angelica ci portò

alla supermarchetta, la più grande che avevo mai visto, con scaffali colmi e coloratissimi. Ognuna con il proprio carrello, io, Clara e Angelica facemmo la spesa per un'intera famiglia di giganti: molti broccoli e gelati, naturalmente, ma anche i deliziosi brownies Sarah-Lee, che avevamo già assaggiato; i biscotti Oreo – neri fuori e bianchi dentro, in un drammatico contrasto tra cioccolato e crema che ci sedusse a prima vista – e infine, una padellina di pop corn con un coperchio di stagnola sigillato che, quando la mettevi sul fuoco, sentivi prima un misterioso sibilo, poi tutto uno scoppiettio, mentre la stagnola si gonfiava piano piano, fino a trasformarsi in una meravigliosa palla d'argento. Allora potevi bucarla con un coltello e davanti ai tuoi occhi apparivano i pop corn, soffici come bioccoli di cotone.

I fine settimana venivano le due cugine di mia madre, che per lei erano come sorelle, essendo cresciute insieme. Laura mi piaceva perché, quando stavo con lei e parlavamo, non era come stare con gli altri adulti, con la sensazione di essere confinata in un angolo. Parlare con Laura era come muoversi in libertà in una grande stanza ariosa: non c'era domanda che non potessi fare al suo orecchio attento e, a differenza della mamma che si spazientiva a spiegare, lei provava sempre a trovare una ragione per le cose. Alba, l'altra cugina di mia madre, che era figlia di Angelica e di Jack, mi affascinava perché era stata una grande ballerina e io mi sforzavo di imitare il suo passo, con i piedi che puntavano risoluti verso l'esterno.

Laura aveva una figlia della mia età, Kate, ed era la bambina più bella che avessi mai visto. Nelle foto che ci ritraevano insieme sorrideva sempre, un sorriso bianchissimo, smagliante, mentre io e Clara sembravamo due vecchie immusonite. Una volta, per scherzo, Kate si mise sui capelli i fermagli della sua cagnetta Piccola. Quando si voltò verso di me ridendo, il suo splendore mi trafisse.

Alba invece aveva due figli, un maschio e una femmina. Del maschio si diceva che fosse un genio. Aveva una collezione completa di "Life" e un laboratorio chimico trasportabile. Una volta sua sorella ruppe una provetta e lui si buttò per terra urlando e sbraitando, e io e Clara fummo prese da una ridarella tragica, perché più ridevamo più Tommy tempestava di pugni il pavimento. Sua sorella Norma si vestiva come Barbie sportiva e la sua camera era proprio come la camera di Barbie, bianca e fucsia, con comodini bombati e pizzi sul letto e alle finestre.

Con questi cugini parlavamo un po' inglese e un po' italiano, ma soprattutto italiano perché loro ci tenevano molto a impararlo bene. E mia madre ci diceva: "Sono più intelligenti di voi, pensano al futuro. Io ho quattro figli provinciali, che si vergognano di parlare inglese. Ma un giorno ve ne pentirete". Che mi vergognassi di parlare inglese, un po' era vero. Quando ero in Italia per le vacanze, già mi vergognavo con le mie amiche se veniva fuori che sapevo il francese, figuriamoci se avessi saputo bene anche l'inglese. Chissà perché, ovunque andassi, mi trovavo nella scomoda posizione di non essere mai uguale alla maggioranza: in Francia, perché ero italiana, in Italia perché vivevo in Francia e perché avevo la mamma americana, in America perché venivo da paesi decrepiti, mentre lì tutto era nuovo. Inoltre, con i miei cugini americani, di cui a sette anni si sapeva già in quale università avrebbero studiato, avevo la sgradevole e confusa sensazione che niente in me ci fosse perché dovesse esserci e tendesse verso qualcosa, mentre in loro tutto aveva una ragione ed era destinato a germogliare. Allora, quando ero insieme a loro, mi capitava di sentirmi vecchia, tanto vecchia e stanca e senza domani.

GIUDA

Sì, i miei genitori litigavano.

Parigi, una sera come le altre, tutti a tavola, mio padre a capotavola. Si parla di scuola – pagelle o compiti in classe dei miei fratelli più grandi. La mamma si lamenta un po' di loro, papà fa la voce grossa: la solita routine d'inadempienze e rabbuffi che presiede al mondo dei miei fratelli. Va avanti così per un po', finché una nota diversa in mio padre richiama il mio orecchio distratto, quell'inequivocabile raggelarsi della sua voce, come percorsa all'improvviso da una fredda corrente, e so che la catena si è rotta: lui non abbaia più, ma è pronto a mordere. Questa volta ce l'ha con Pietro, il più giovane dei due, che forse gli ha lanciato un sorrisetto beffardo con gli occhi e che adesso si alza da tavola per ripiegare in luoghi più sicuri. Non è ancora uscito dalla stanza che una scarpa di mio padre lo colpisce in testa, facendogli uscire del sangue dalla tempia. Subito mia madre scatta in piedi, si precipita verso di lui. E adesso eccola che alza le mani rosse di sangue come stendardi di guerra, mentre un ruggito le sale dentro – da dove, da quali profonde oscure caverne di risentimento e colpa non saprei, ma sono atterrita, non la riconosco più.

C'è uno scambio di urlacci tra i miei genitori, con pa-

53

role come artigli che mi fanno a pezzi il cuore. Parole come: separazione e divorzio.

Poi, quando mio padre esce dalla stanza, un lungo silenzio ci si annoda in gola finché la mamma mi dice: "Va' da tuo padre, non lo lasciare solo". Naturalmente vado, perché, dopo un litigio in famiglia, tocca quasi sempre a me portare dall'uno all'altro lo stesso messaggio: "Non prendertela, dài, noi siamo come le dita della mano, inseparabili". Ma c'è un'esitazione nei miei passi e la voce che preparo per mio padre non vuole salire, stretta in gola nel silenzio di prima. C'è buio nella loro stanza. Papà è in bagno, la porta aperta. Si lava il viso, apprestandosi a uscire. Ha ancora il respiro affannato e la faccia dei momenti peggiori, una faccia come più grande, con occhi, naso e bocca non proprio al loro posto. Prende un asciugamano, e quella faccia sparisce nel bianco. Sono lì, in piedi, accanto al lavandino, non so che fare e sento sempre quel nodo in gola, ma adesso è piuttosto il mio cuore pulsante d'imbarazzo e pena. Vedo la mia mano allungarsi verso di lui. La mano gli tocca il braccio e finalmente un suono si libera: "Papà...". Una voce alterata fa capolino dal bianco: "Va' via, Giuda. Tanto lo so che anche tu stai dalla sua parte". Arretro come per uno schiaffo, che tuttavia un po' mi solleva perché l'ho meritato. Sì, io sono come quella Giuda, una qualche donna famosa per aver preferito sua madre a suo padre.

STREGONERIE

Mio padre si tira su le palpebre, che gli rimangono incastrate in alto e, da un buco che ha sotto il mento dai tempi in cui era partigiano, si fa uscire un filo di saliva, da noi chiamato mugolio. Mio padre sa quando sta per scoppiare un tuono e la formula per attirare le lucciole nel palmo della mano. Mio padre ha un'amica strega che, se ci rinchiudiamo al buio in una stanza, fa piovere caramelle. Mio padre può trasformarsi in un drago sputafiamme, in un serpente incantatore, in un orco mangiabambini.

Qualche volta mi vergogno di lui davanti alle mie amiche perché le chiama "nonnette", perché dice e fa cose esagerate e perché, quando le porta con noi al ristorante, le costringe a mangiare lumache, o brodo di serpente dal cinese. E mi vergogno di lui quando giura che ai pretendenti miei e di Clara farà fare le scale a ruzzoloni a furia di calci nel sedere, e quando manda a prenderci a scuola il portiere del palazzo vestito da ammiraglio.

Qualche volta mi sorprende, portandomi a mangiare il gelato all'Hilton alle undici di sera o al cinema all'ultimo spettacolo un giorno in settimana; e quando sono io a chiedergli di portarmi fuori la sera mi sorprende, rispondendomi: "Sì, stanotte si va al Teatro Bianchini, coperte e cuscini". Magari poi mi siedo sulle sue ginocchia e gli poso la testa sul rigonfio della pancia. E lì, succhiando un cubetto di zucchero affogato nel cognac, sento nascere il suo respiro.

Qualche volta lo adoro, gli butto le braccia al collo e gli copro la faccia larga di baci: il mento, gli occhi, il naso, le guance aspre come carta vetrata – quando torna da un viaggio lo adoro, gli butto le braccia al collo e mi specchio nel suo eccesso, nei suoi occhi lucidi felici – come quella volta che torna con la mamma da un lungo viaggio in Sudamerica e il portiere in divisa da ammiraglio, chissà perché, ci fa fare un sacco di giri prima di riportarci a casa e quando entriamo l'appartamento è deserto come sempre da quando sono partiti, ma in camera, su ognuno dei nostri letti, c'è una montagna di regali, sì, proprio una montagna, e ogni tanto ne frana un pezzo per terra (un sombrero, una maschera inca, un cembalo colorato) e io e Clara sappiamo che sono tornati e ci mettiamo a cercarli freneticamente, ma in camera loro non ci sono, e allora apriamo la porta del bagno ed eccoli lì, radiosi, papà che ancora cerca di nascondersi dietro alla mamma, grande e grosso com'è, perché non gli basta, vuole più gioco, più magia, più meraviglia, finché tra i suoi piedi qualcosa si muove, un cucciolo di barboncino, con un fiocco rosso intorno al collo.

Qualche volta mio padre mi fa paura.

Mi sono chiusa nel bagno e ormai lui è alla porta. Ho fatto qualcosa che non andava e lui è alla porta. Da dietro la porta vedo le sue mani compatte e dure. Lui mi dice: "Apri". Io vedo le sue mani compatte e dure e non apro, ma sento anche qualcosa di più terribile di quelle mani, qualcosa che non so cos'è e che è destinato a durare se resisterò dietro quella porta chiusa, ed esito, esito talmente, le dita sulla chiave, che mi tremano le gambe. Mio padre mi fa paura anche se mi ha picchiato una volta sola.

Stiamo passando la frontiera al Monte Bianco. È estate, fa un gran caldo, siamo in una fila immobile di macchine. Loro scendono tutti a bere qualcosa. "Vieni anche tu" mi dicono, io rispondo che sono stanca e che preferisco rimanere lì. In realtà voglio esercitarmi al volante, mi piace girarlo, come in una lunga dolce curva tutt'intorno alla Terra, ma adesso scotta e dopo qualche tentativo smetto. Guardo fuori dal finestrino, ma non c'è niente d'interessante da vedere, solo un uomo in canottiera che si scaccola il naso appoggiato alla portiera della macchina vicino alla nostra e io dopo un po' mi annoio, rimpiango di non essere andata al bar con gli altri. Poi mi torna in mente il penny che stamattina papà mi ha regalato, tasto i miei pantaloni e lo tiro fuori dalla tasca. È nuovo di zecca, rosso fiammante. Guardo il profilo del Presidente assassinato e penso che non mi piacerebbe diventare il Presidente di un paese come l'America dove ci sono tante persone e, per forza, anche qualche pazzo al quale un giorno può girare di spararti. Volto il penny, ma su questa faccia non c'è praticamente niente da vedere, solo una specie di monumento con delle colonne. Allora mi metto a giocherellare con la moneta, cercando di farmela camminare tra un dito e l'altro, ma non ci riesco molto bene e la moneta scivola per terra. Mi chino a raccoglierla e, mentre mi tiro su, gli occhi mi cadono sulla fessura della chiave d'accensione. È più o meno grande come il penny, e allora mi viene in mente questo gioco nuovo di provare a infilare il penny nella fessura della chiave. Sì, è perfetta, è proprio la misura giusta, e a più riprese infilo la moneta, prima solo un pezzettino, poi sempre di più, fino a metà, un po' più della metà, finché tra i polpastrelli me ne rimane solo uno spicchietto. A un tratto il penny scompare dentro la fessura. Non mi preoccupo subito, prima provo a tirarlo fuori con l'aiuto di una forcina che trovo rovistando il cassetto del cruscotto. Ma non faccio che peggiorare le cose, perché adesso riesco a intravedere in fondo al buco soltanto una strisciolina rossa.

Allora comincio a sudare, in preda al panico. C'è solo paura nel mio cervello e non posso pensare a nessuna soluzione. Così mi rannicchio ai piedi del sedile del passeggero, ai piedi del posto della mamma, e piango.

"Che ci fai là sotto?" chiede mia madre quando tornano, "dài, esci di lì, ché tra poco la fila si muove." Esco strisciando dalla portiera che lei mi tiene aperta. Mi muovo male, paralizzata dal terrore, e salgo dietro, appiccicandomi a mia sorella, che però mi dice di allontanarmi perché ha caldo.

Mio padre entra in macchina, si siede al volante e si mette a chiacchierare con le chiavi in mano, lanciandole ogni tanto per aria, e il mio cuore va su e giù con quelle chiavi finché mio padre dice: "Oh, finalmente ci muoviamo" e fa per infilare la chiave nella fessura, ma la chiave non vuol entrare e mio padre dice: "Ma che cavolo è successo", e intanto quelli dietro si sono messi a clacsonare e papà bestemmia provando e riprovando, finché, di colpo, tira su la testa e si volta verso di me.

Confessai all'istante e non appena cominciai a buscarle mi sentii meglio, infinitamente meglio, perché sì, le botte fanno male, ma la paura, la paura di mio padre, che non è la paura delle sue botte, oh, quella è la cosa più terribile.

I FRATELLI BUKOWSKI

Il viso di mia sorella è la prima cosa che vedo la mattina e l'ultima la sera, i suoi occhi, grandi e rotondi come ciottoli di fiume, che continuano a brillare anche al buio.

Nel tema "Mia sorella" che la maestra mi ha assegnato per le vacanze di Pasqua, riesco a scrivere solo poche righe: che Clara chiama "fantasmagorico" qualunque cosa le piaccia molto e che, fin da piccola, è stata attratta dalla luna e dagli astronauti per cui, quando è contenta, si mette a saltare sul letto al grido ripetuto di: "Fantasmagorico! Juri, Gagarin, Juri!". Altre informazioni sul suo conto non ho saputo dare, anche se so tutto di lei, perché noi siamo una cosa sola.

Con i miei fratelli succede l'esatto contrario: non li conosco, eppure, dalla distanza che ci separa, posso descriverli molto bene. Li vedo come esponenti di una sparuta tribù di selvaggi insediata in un territorio confinante ma ben distinto dal nostro. Mi capita spesso di assistere ai loro riti quotidiani, come sprofondarsi per ore nel giornale aperto sul tavolo da pranzo stando inginocchiati su una sedia, o schierare pazientemente file e file di soldatini per poi sbaragliarle con un sol gesto della mano emettendo ogni sorta di rumori, o saltare sul letto tra risa e urla forsennate mentre papà li frusta con la cinghia dei pantaloni.

Ci capita anche di subire le loro incursioni: allora ritroviamo le nostre bambole impiccate alle corde delle tende o ai rami di un platano sul viale. E noi sopportiamo tutto, i loro stupidi scherzi, come toglierci la seggiola da sotto il sedere quando stiamo per accomodarci a tavola, e persino la tortura del solletico, con uno dei due che ti tiene le braccia inchiodate sul letto mentre le dita dell'altro ti corrono su e giù per tutto il corpo, ma l'esecuzione delle nostre bambole, no, questo non possiamo proprio sopportarlo. E quando scopriamo la profanazione, la crudeltà, l'odiosa prepotenza, ovunque ci troviamo, lo spazio risuona delle nostre grida.

Io urlo più di Clara, via via sempre più forte, affondando sempre più nella mia parte, nel pianto e nella rabbia, e comincio a strapparmi i capelli spaventando persino mia sorella, che a quel punto smette subito di piangere e si avvicina a me e mi dice, posandomi la testa sulla spalla: "Dài, non prendertela così", allora mi sento ancora peggio, perché adesso sono sola a dover riparare al male, e mi butto per terra e mi irrigidisco tutta, il viso viola, chiamando a raccolta tutte le forze di disperazione che ho in me, sull'orlo della convulsione finché non arrivano papà e la mamma a scuotermi, severi: "Basta, adesso basta. Tirati su, calmati, capito?".

Da queste crisi uscivo stremata e dolorante, come per la caduta in un pozzo profondo. E per intere settimane non degnavo i miei fratelli di uno sguardo, fino a quando loro non mi tendevano di nuovo la trappola del circo.

"Signore, signori! Bambini, bambine! Gentile pubblico! Stasera ho il grande onore e piacere di presentarvi un numero sensazionale! Direttamente dalla Russia, ecco a voi i fantastici, i meravigliosi, gli incredibili Fratelli Bukowski!" grida Carlo, mentre io, Clara e Pietro irrompiamo nella camera strombettando una musica da fanfara.

Sono le undici di sera, papà e la mamma sono usciti, di sicuro ci credono a letto da un pezzo, e invece no! Stasera giocheremo al circo Bukowski: faremo un sacco di capriole, acrobazie ed equilibrismi. Io, che mi chiamo Galina, riuscirò a stare in piedi (senza reggermi con le mani) sulle ginocchia piegate di Ivan-Pietro disteso sul letto; accanto a lui, Boris-Carlo solleverà Olga-Clara afferrandola ben stretta alle caviglie – un prodigio di potenza e abilità, Signori e Signore, ammirate i meravigliosi Fratelli Bukowski! E alla fine i due maschi si esibiranno nel loro celebre "Sfiora-muro mortale", salire in piedi in fondo al letto e, di lì, lasciarsi cadere giù tutto d'un pezzo, avanzando ogni volta di un centimetro la posizione di partenza – un numero che non di rado si conclude con spaventosi bernoccoli sulla fronte di Ivan e Boris.

Io e Clara ci divertiamo un mondo, ci esaltiamo, ora che la forza, l'energia, la baldanza solitamente avverse dei fratelli sono nel nostro campo, quasi al nostro servizio, a incoraggiare, a spronare la temerarietà che è in noi – un fragile boccio che non ce la fa mai a fiorire. Ma adesso tutto è possibile, e io e Clara inventiamo nuovi numeri, sempre più spericolati, perché Galina e Olga possono levitare, camminare su tizzoni ardenti o sulla ringhiera del balcone, possono volare addirittura. Poi, quando giungerà il gran momento, e Boris e Ivan lanceranno coltelli aguzzi verso le sorelle addossate all'arazzo del salotto con le sue cento cupole moresche, loro, Galina e Olga, rimarranno imperturbabili, senza un tremito sulle labbra o tra le sopracciglia, consegnandosi nelle mani dei fratelli con la naturale fiducia che i forti ripongono nei forti.

FERVORE

La mamma, che è una Dama di Carità della Missione Cattolica, mi porta con sé a trovare una famiglia italiana che vive a Nanterre, nella bidonville. Camminiamo nei vicoli non asfaltati e una scarpa mi rimane intrappolata nel fango e, quando tiro, il mio piede esce dalla scarpa, e io resto per un istante in equilibrio su una gamba sola, ma poi cado e mi ritrovo col calzettone nella melma fino a metà polpaccio. Mia madre si arrabbia: con una serie di gesti bruschi, sbuffando tutto il tempo, appende a un palo la sporta piena di cose da mangiare, recupera la scarpa, mi toglie il calzettone, lo rivolta, se lo caccia nella tasca del cappotto e m'infila il piede nudo nella scarpa. "Dài, andiamo" mi dice poi, e rimane zitta finché non ci troviamo di fronte a una baracca col tetto di lamiera. "È qui" dice e bussa alla porta, che sembra l'anta di un armadio. Viene ad aprire una bambina un po' più piccola di me. Ha indosso un vestito di lana rosso che riconosco subito: è il mio vestito, diventato troppo corto anche per mia sorella. Sei o sette altri bambini brulicano nella stanza e, dal fondo, arriva una voce di donna, un filo di voce da un letto addossato a una parete rivestita di cartone: "Entrate, signora, accomodatevi. Scusate, oggi non mi sento troppo bene". Mia madre posa la sporta in un angolo e si avvicina al letto ma io non oso seguirla, rimango nel centro della stanza con tutti quei bambini che mi mulinellano intorno, che ridono, si rincorrono e scherzano in maniera esagerata, senza rivolgermi la parola ma lanciandomi di continuo delle occhiate, come per accertarsi che quel loro spettacolo mi piaccia. Io però voglio sentire quello che mia madre e la donna nel letto si stanno dicendo, e drizzo l'orecchio attraverso quel frastuono. Capto la parola "precauzioni" – che non so bene cosa signifchi – dalla bocca della mamma e "Ma mio marito non..." da quella della donna. Poi mia madre mi chiama, vuole presentarmi alla donna, che mi tende una mano callosa, ma debole, così debole, e anche il suo sorriso è senza forze, e all'improvviso sento una pena che non ho mai sentito prima per un essere umano, ma solo, in campagna, per un cane malato o una rondine con l'ala spezzata.

Dopo un po' ce ne andiamo ed ormai è buio. Sento il fango freddo sulla mia caviglia nuda, ma non dico niente. Invece chiedo a mia madre cosa signifchi "precauzioni".

"Significa una cosa che si fa per evitare che accada qualcosa di pericoloso o sgradevole."

"E quella donna ha fatto una precauzione?" insisto.

"No, quella donna non ha preso delle precauzioni" mi corregge lei, di cattivo umore. Così lascio perdere.

Il giorno dopo c'è l'ora di religione. Il prete, un certo padre Tonioli arrivato da poco nella mia scuola, legge il Vangelo. "In verità, verità vi dico: è più facile che un cammello passi nella cruna di un ago che un ricco entri nel regno di Dio" tuona dalla cattedra. Sono tremendamente impressionata, e per giorni e giorni la frase di Gesù mi resta nell'orecchio, e negli occhi l'immagine della donna a letto. A casa non si parla mai di religione né di cose simili, allora vado dal prete, ma non riesco a formulare una domanda, gli racconto solo della donna e poi gli ripeto la frase col cammello. Il prete ha le idee chiare e mi spiega molto bene, con poche parole comprensibili, che il mondo è ahimè diviso in ricchi e poveri e che Gesù preferiva nettamente i poveri.

A casa chiedo a mio padre se siamo ricchi o poveri. "Siamo più poveri di alcune persone e più ricchi di molte altre" risponde, lasciandomi in bilico su quello scomodo spartiacque. Afferro comunque che siamo più ricchi di molta gente e l'indomani torno da padre Tonioli con la domanda: "Come può Gesù amarmi, se sono più ricca di molta gente?". Padre Tonioli mi spiega allora che Gesù ama tutti gli uomini, ma che mi amerà ancora di più se io amerò i poveri, se sacrificherò il mio egoismo per difenderli e soccorrerli, giorno dopo giorno e senza vantarmene.

Da quella volta chiedo sempre a mia madre di andare con lei dalla famiglia della bidonville. Faccio un po' amicizia con la bambina che porta il mio vestito rosso. Qualche mese dopo le nasce un altro fratellino e lei, che normalmente gli dà il biberon, qualche volta lascia che sia io a darglielo.

Vado a messa tutte le domeniche, da sola, perché ai miei genitori apparentemente non interessa, e nemmeno ai miei fratelli. Qualche volta Clara mi accompagna, ma lo fa soltanto per rimanere insieme a me. Quando in chiesa, dopo il Padrenostro, si avvicina la fine della messa, alzo gli occhi alla volta del soffitto, dove una moltitudine di santi svolazza tra soffici nuvoloni bianchi simili a meringhe. E un'onda di felicità, di gratitudine, mi cresce dentro al pensiero delle meringhe alla panna che mi aspettano a casa, a chiusura del pranzo domenicale. Subito però mi spavento: con gioie così egoiste non metterò mai piede nel regno di Dio, e mestamente m'impegno a tenere da parte le mie meringhe per l'amichetta della bidonville.

Una volta mio padre torna a casa con un cesto pieno di ostriche, un salmone affumicato e una scatoletta di caviale.

Non so perché, ma ha l'aria tutta contenta e dice: "Stasera festeggiamo".

"Cosa?" gli chiedo.

"Che siamo una bella famiglia, che stiamo tutti bene. Che Parigi è una città meravigliosa."

Negli ultimi tempi mi urta l'indifferenza di mio padre verso i poveri, l'amore di Gesù e il regno di Dio. Allora lo affronto, prendendola alla larga.

"Sai, io sono fortunata, perché a me non mi piacciono né le ostriche, né il salmone, né il caviale, né tutte queste cose care."

"Ah, sì?" fa lui.

"Sì, e i soldi che non spenderò per comprarle li darò ai poveri."

"È bello che tu pensi ai poveri" commenta. Ma è distratto, intento com'è ad aprire le ostriche con il coltello, e io non lo sopporto, la sua felicità di egoista goloso mi dà sui nervi.

Così mi avvicino al suo orecchio e gli dico – scandendo bene le parole: "È più facile che un cammello passi nella cruna di un ago che un ricco entri nel regno di Dio". Il coltello gli sfugge di mano, e lui per poco non si taglia. Mio padre è inferocito e fulminandomi con lo sguardo grida: "Vattene, Cristo di Dio, razza di bigotta guastafeste".

Allora scoppio in lacrime e vado a rinchiudermi nella mia stanza.

LUCIFERO

"Quando giocate al Champ de Mars, guardatevi dagli uomini che si aggirano tra i cespugli. Soprattutto da quelli con l'impermeabile" ci diceva sempre Dame Dame. Ma quando le chiedevo cosa ci fosse di particolarmente pericoloso negli uomini con l'impermeabile, ancor più enigmatica lei mi rispondeva: "È che sotto l'impermeabile è facile tenere in serbo una cattiva sorpresa". No, decisamente non capivo. Quello che non capiva lei, invece, era come avessi fatto un giorno a conciarmi a quel modo le gambe, tutte segnate da lunghe, sottili striature rosse. "Ma come hai fatto? Mi spieghi come hai fatto? Sembra che hai le calze a rete" mi sgridò. "Me le sono graffiate nei cespugli, giocando a nascondino con Aude" mentii, perché proprio non potevo dirle che quelle erano le ferite di una santa e gloriosa guerra.

Io, tra i cespugli, cerco i bambini cattivi, in particolare quello con le sopracciglia folte, stranamente serpeggianti sulla fronte diafana e alta, con due occhi grigi di ghiaccio, bello come Lucifero, come lui altero e malvagio. Loro sono una banda che attacca le bambine deboli, indifese. Si nascondono nei cespugli e, appena ne vedono arrivare qualcuna, sola o con un'amica, balzano fuori armati di lunghi

67

scudisci e prendono a frustarle crudelmente le gambe al grido di "A morte il vil sesso". A me mi hanno aggredito due volte, senza però riuscire a colpirmi, perché io corro veloce, più veloce di loro, in effetti. Ma anche se l'ho sempre scampata, ora dico basta: giustizia deve essere fatta, me ne incarico io.

Strappo un bel giunco attorno allo stagno e lo ripulisco bene, togliendo foglie e rametti, finché non mi sfavilla in mano liscio liscio, nudo come la spada di un arcangelo. Con circospezione mi avvicino all'angolo del Champ de Mars dove di solito si raduna la banda, mi nascondo dietro a un platano, e da lì li vedo, in campo aperto, seduti su una panchina a confabulare. Mentalmente faccio i miei calcoli: ci saranno più o meno una trentina di metri dal mio nascondiglio alla loro panchina. Sì, posso farcela. E allora scatto – perché o lo faccio subito o non lo farò mai più – scatto e in un baleno gli piombo addosso facendo sibilare il giunco sui polpacci magri dell'incredulo Lucifero. Poi me la dò a gambe: una corsa folle, il cuore che mi rimbalza in gola come una palla, fino al territorio sicuro, fino alle ginocchia di Dame Dame, seduta in panchina, sulle quali mi lascio cadere sfinita. Quando lei, allarmata, mi chiede: "Che c'è, che è successo, insomma, parla" io, senza fiato, farfuglio: "Niente, niente. Mi era sembrato che un cane rabbioso mi stava inseguendo". E resto lì sulle sue ginocchia, boccheggiante, ma fiera, di una fierezza piena, pervasiva, anche se oscura, perché non so (né voglio saperlo) se a rendermi così orgogliosa sia la punizione dei cattivi, il ristabilimento della giustizia, la crociata per le deboli, o l'aver compiuto tutto questo davanti al bel Lucifero, di averlo compiuto contro di lui, addirittura su di lui.

Dopo, naturalmente, mi aspetto la vendetta, l'aspetto con timore e trepidazione. E visto che giorno dopo giorno non si decide a venire, alla fine vado io a cercarla: sprovvista di giunco m'inoltro tra le file nemiche.

E una volta lì, quando mi sono addosso coi loro scudisci e che Lucifero mi frusta le gambe con freddezza e metodo, non faccio alcun tentativo di fuggire, ma mi concedo anzi alla resa totale.

Perché a quei pomeriggi interi senza malvagi in giro, senza un Diavolo perversamente bello con cui contendere, in una sfida senza scampo tra Bene e Male, a quei pomeriggi insulsi preferisco di sicuro le loro scudisciate.

BATTICUORE

I miei primi uomini furono camerieri e benzinai, panettieri e controllori d'autobus. Incontri fugaci, senza strascichi. Una distanza sufficiente tra noi perché io mi esercitassi – al sicuro – nella palestra della seduzione. Un po' mi piacevano, ma non era questo il punto. L'importante era che mi piacessi io davanti a loro. Li usavo senza scrupoli, come specchi.

La prova dello sguardo: riuscire a tenerlo fermo dentro i suoi occhi mentre gli porgo il biglietto. E, al ristorante, la mano che si posa leggera sul tavolo, un po' inclinata per celare le rotondità infantili, così che quando lui torna con la macedonia la scopre come una bianca farfalla dalle ali tremule. La curva dove c'è il distributore di benzina: ci arrivo con una corsa sgangherata, ma lì, appena qualche metro prima, freno – spalle dritte, pancia in dentro, guardare dritto davanti a sé, soprattutto non guardarlo, vedere se c'è senza guardare (questo so già farlo molto bene), sentire il suo sguardo come un raggio caldo, e, se lo sento, imprimere un non so che d'indolente e molleggiato ai miei passi.

Solo più tardi mi cimentai in pericolose vicinanze. Un compagno di classe in quinta elementare – Giovanni Tini – grassottello, più basso di me, con occhiali dalle lenti spes-

71

se. Un giorno trovai dentro il mio quaderno una barchetta di carta con una polena a forma di cuore rosso, su cui lessi: G ama M, come Romeo la sua Giulietta. C'era un altro bambino nella mia classe il cui nome cominciava per G, Gianluca, ma non poteva essere lui, troppo impegnato in una nuova, rivoluzionaria classificazione dei coleotteri. Era Giovanni, di sicuro.

A casa chiesi alla mamma chi fossero Romeo e Giulietta.

"Due giovani innamorati. Le loro famiglie erano nemiche e non volevano che si sposassero, così Romeo e Giulietta poterono stare insieme solo nella morte."

"Tu e papà avete litigato con i genitori di Giovanni Tini?" domandai allora. "No, perché?" "Niente, era solo per sapere" dissi e me tornai in camera mia. Mi sentivo confusa, e quella storia del morire per poter vivere insieme m'inquietava.

Così temporeggiai, civettando con Giovanni quel tanto che bastava per bearmi del suo corteggiamento. Il mio quaderno era il porto dove approdavano le barchette bianche messaggere del suo amore: "Tu sei la mia soave Giulietta". "Com'eri bella e leggiadra ieri con la treccia lunga come quella di Giulietta." "Hai gli occhioni neri come Giulietta." Ma la sua pomposità, così come il dovermi chinare sempre un po' quando parlavo con lui che era più basso di me, e l'assistere al suo patetico brancolare quando i compagni per scherzo gli sfilavano gli occhiali dal naso – tutto questo non tardò a infastidirmi. E un sabato pomeriggio, durante una festicciola, mi ritrovai senza averlo premeditato a distruggere con ferocia la sua adorazione.

Mi scatenai come un razzo lungo i corridoi, per poi buttarmi sguaiata su un divano urlando tutte le parolacce che sapevo. E più lo vedevo incredulo, sgomento, più lo prendevo in giro affondando il pugnale della dissacrazione.

Verso la fine una maschera di disprezzo gli copriva il volto e quando me ne andai, esausta, sentii di vergognarmi. Il lunedì seguente, dopo la ricreazione, trovai nel mio quaderno una barchetta di carta nera. La polena a forma di cuore aveva lasciato il posto a una croce bianca su cui c'erano scritte queste parole:

"Giulietta è morta, cadendo dal balcone come un maschiaccio".

Un po' ci rimasi male – ero talmente vanitosa – ma feci presto a metterci una pietra sopra perché arrivò lui, Lorenzo, da Londra. Golf coi buchi, jeans sfilacciati; pantaloni a zampa d'elefante e giubbotto di velluto viola con il simbolo di "Fate l'amore, non la guerra" cucito su una manica – il tutto comprato a Carnaby Street. Un viso sempre accaldato da un continuo subbuglio di passioni, labbra rosse come ciliege, occhi vispi e teneri. Infinitamente più sveglio di noi, parlava di tabù, di borghesia, di figli dei fiori, e di gruppi che non avevamo mai sentito nominare. Una mattina il maestro lo interrogò su una poesia che dovevamo imparare a memoria.

In piedi accanto alla cattedra, Lorenzo comincia a recitare guardando il maestro: "Il più giovane, il più forte, con il sangue sulla faccia e la croce delle braccia disarmate dalla morte, è sepolto in questo prato, senza stelle di soldato". Man mano, come preso da una corrente, sempre più infervorato, rosso in viso, si gira verso la classe: "L'ha falciato la mitraglia come un filo d'erba dritto...". Finché, con gli occhi pieni di lacrime, i pugni stretti protesi proprio verso di me – commossa, vibrante, catturata – Lorenzo pronuncia l'estrema preghiera:

"Ora il fante contadino disarmato dalla morte, dorme un sonno da bambino coricato alle tue porte. O Signore, tu lo puoi, dagli il cielo degli eroi!".

Da quella volta per me furono inauditi risvegli all'alba

73

con il cuore che mi svolazzava in petto come un uccello prigioniero. Corse a rotta di collo su per le scale della scuola prima di scorgerlo lì, nel salone, al suo posto nella fila della nostra classe. Agonizzanti attese quando arrivava in ritardo e quel grigio sentirmi orfana del mondo quando era assente.

Anche lui mi amava, scoprii una sera.

Alle otto suona il telefono, risponde mia madre. "È per te" mi dice, "è Lorenzo." Prendo la cornetta con la mano che mi trema, dico: "Pronto?". "Ciao, sono Lorenzo. Volevo chiederti: domani, per il compito in classe di aritmetica, devo portare il foglio a righe o a quadretti?". Che razza di domanda, è chiaramente una scusa. "È solo una scusa" urlo dentro di me, precipitandomi in camera. È una di quelle sere di maggio a Parigi, quando il giorno non vuole proprio morire e la luce si stira in un immobile crepuscolo. Sono seduta sul letto, vicino alla finestra. Guardo fuori e, nella mia estasi che sono lì per custodire come il giorno la sua luce, non vedo e non sento niente, io non esisto più, non sono io quelle braccia, quelle gambe, quella testa, io sono tutt'intera nel battito convulso del mio minuscolo seno.

BRIGITTE BARDOT

Qualche volta, la domenica mattina, io e Clara ci svegliavamo prima dei nostri genitori. Zitte zitte andavamo in cucina a preparare per loro la spremuta d'arance (lo spremiagrumi faceva – ahimè – un rumore infernale) e la macchinetta del caffè. Poi di corsa in camera a vestirci, facendo piano però, perché se si svegliavano era la fine. Ricordando di prendere le chiavi, volavamo giù per le scale e via al galoppo fino alla boulangerie di Rue du Laos a comprare i pains au chocolat per papà e i croissants per la mamma. Infine dal fioraio, a prendere garofani rosa per la mamma. Erano i suoi fiori preferiti – con quel profumo sottile sottile come il respiro di un neonato, diceva lei – e per una felice coincidenza anche quelli che costavano meno (un franco l'uno), per cui riuscivamo sempre a regalargliene un mazzo di cinque, e qualche volta di dieci. Di ritorno a casa, facevamo a quel punto più chiasso possibile: tutto era pronto e morivamo dalla voglia di vedere le loro facce sorprese e contente. (Dopo un po', la loro sorpresa diminuì, ma io gongolavo lo stesso nei panni della figlia meravigliosa.)

Qualche volta, la domenica mattina, mio padre si svegliava per ultimo. Verso le undici.

In mutandoni e canottiera si avvicina al giradischi in

salotto. Sbadiglia rumorosamente e prende a sfogliare i dischi canticchiando un motivetto; all'improvviso smette, si tira su le palpebre e, con quegli occhi un po' rossi un po' bianchi da mostro, si volta verso di me sfoderando il più angelico dei sorrisi. Alla fine sceglie un disco: Fred Buscaglione, che lui adora, perché gli ricorda non so quali bei tempi, e lo mette a tutto volume. Comincia a ballare con piroette e salti esagerati e goffi, e uno di noi immancabilmente gli dice: "Ma papà, sembri un gorilla". Lui non aspetta altro per scatenarsi ancor di più, e ora eccolo che mi prende per un braccio perché balli con lui, e io mi vergogno e rido. Accenno qualche passo e intanto registro le parole della canzone: "Ti ho veduta, ti ho seguita, ti ho fermata, ti ho baciata, eri piccola, piccola, piccola, così...", e contemporaneamente mi cadono gli occhi sulla copertina del disco, dove c'è una foto di Buscaglione coi baffi e la visiera da croupier. Somiglia pericolosamente a mio padre da giovane, anche lui accanito giocatore. Decido che bisogna stare all'erta e, ogni volta che si presenta l'occasione, ascolto bene le parole delle sue canzoni. Allora mi salta addosso tutto un mondo rosso torbido, in cui è sempre notte, baci e botte, con tante bionde platinées che non somigliano per nulla a mia madre.

Sempre più inquieta, preoccupata, vigilo su mio padre, tanto più attentamente che la mamma dimostra un'imperdonabile incoscienza.

Una sera, di ritorno da un viaggio d'affari, lui ci racconta che all'aeroporto di Nizza ha incontrato Brigitte Bardot. Ha un'aria maliziosa e, mentre parla, getta con gli occhi a mia madre piccoli guanti di sfida che lei, come al solito distratta, non si sogna nemmeno di raccogliere. Ora papà dice che l'attrice gli ha sorriso e ora la imita mentre cammina, la testa girata verso di lui, portandosi dietro quel sorriso come uno strascico lungo. Poi, dalla valigia, tira fuori due occhiali da sole per me e mia sorella – sono immensi, con una montatura pop a scacchi fosforescenti. Mio padre dice che Brigitte Bardot ne aveva un paio uguale. Quando me li tende, io li butto per aria, e grido che mi fanno schifo e che anche Brigitte Bardot mi fa schifo, poi scoppio a piangere e di nuovo corro a chiudermi nella mia stanza.

PERFIDIE

Da qualche tempo soffrivo di mal di stomaco: crampi che mi costringevano a letto con le braccia strette intorno al corpo. La mamma mi portò dal medico, e così ebbi le mie prime medicine, dei confetti marroni, dolci fuori, e con un gusto di farina dentro.

La mamma mi dice che non devo preoccuparmi così tanto per la scuola e io le dico che sì, smetterò di preoccuparmi. Ma so che non è la scuola, è Teresa che mi fa venire il mal di stomaco.

È arrivata un giorno nella mia classe con gli occhi saettanti. L'anno è già cominciato da un po', ed è il preside che l'accompagna in classe per presentarla al maestro e ai compagni. Mentre il preside parla, gli occhi di Teresa corrono senza posa da una faccia all'altra. Mi vengono in mente le palline di mercurio che si sprigionano da un termometro rotto e non riesco a notare altro di lei, solo quegli occhi irrequieti. Dopo l'ennesimo precipitoso giro, si fermano sul mio viso, spaziano su guance, bocca, naso, per aggrapparsi infine ai miei occhi e non lasciarli più.

Al terzo giorno eravamo già inseparabili.

Ci vedevamo quasi tutti i giorni, di preferenza a casa sua, perché Teresa era figlia unica e i genitori sempre in giro, così che non c'era nessuno a distrarci quando scrivevamo il nostro romanzo su una regina del cielo chiamata Aurora Boreale, o a spiarci mentre architettavamo i nostri piani, come il furto di quattro anelli, tre spille e una collana tempestati di strass e di pietre multicolori in un grande magazzino. Un colpo che preparammo meticolosamente, solo che poi, sul più bello, lei scappò via, lasciandomi davanti al bancone con la busta della ladra aperta nelle mani. Naturalmente scappai anch'io, mollando la busta vuota, ma tolsi il saluto a Teresa per un paio di settimane.

A scuola eravamo brave tutt'e due. E carine tutt'e due quando, guancia contro guancia, ci guardavamo insieme nello specchio, anche se, a dire il vero, io vedevo i suoi occhi brillare più dei miei, accesi dal continuo viavai d'idee nella sua testa.

Ad alta voce, Teresa faceva il verso al maestro che pronunciava la P di Champs-Elysées. Poi conficcava il suo sguardo scintillante nei miei occhi pieni d'invidia e smarrimento, perché un po', in quel momento, il maestro mi faceva pena. La sua spavalderia mi elettrizzava. Mi elettrizzava il volo che faceva fare ai suoi calzettoni blu nel bagno della scuola, e l'amorevole cura, quasi una carezza, con cui poi s'infilava delle calze a rete con la cucitura dietro.

Due cose non sopportavo di lei: quel suo modo di puntare il naso verso chissà quali altitudini, degnandosi poi di far cadere i suoi apprezzamenti, e il fatto che le piacesse sempre lo stesso ragazzo che piaceva a me, per cui se io dicevo: "Lo sai, mi piace Tizio", lei immancabilmente rispondeva: "Veramente piace anche a me".

Un pomeriggio, alle medie, ci chiudemmo nel bagno di sua madre per farci un trucco come Dio comanda e, una volta pronte, andammo a farci delle foto nella cabina automatica. L'indomani affidammo le foto a un compagno, un nostro scagnozzo, insieme a un biglietto su cui avevamo scritto: "Chi delle due ti piace di più?", ordinandogli di consegnare il tutto a Marco, di cui entrambe eravamo pazze. Ma lo scagnozzo fu tanto scemo da recapitarci la risposta durante il compito in classe di latino, e la professoressa, che era una vecchia zitella, sequestrò il biglietto e ci spedì tutte e due dal preside con una nota sul registro. Come mi si piede nel suo ufficio, l'angoscia mi divampò nello stomaco e, mentre il preside ci faceva la predica, l'unica cosa che riuscii a pensare fu che sgualdrina fa rima con assassina. Teresa aveva smesso le sue arie da gran dama e se ne stava lì a testa bassa. Il preside chiamò anche a casa, ma i genitori di Teresa erano usciti e i miei in viaggio, e la sera al telefono io e lei concordammo tra le lacrime che saremmo comunque andate a scuola l'indomani.

Solo che Teresa non venne, mi lasciò da sola ad affrontare la seconda parte del processo, quando il preside salì in classe e mi convocò alla cattedra per svergognarmi davanti a tutti i compagni. Gliene volli a morte di non essere venuta, ma la volta peggiore, con Teresa, fu un altro furto, il furto della mia migliore amica, la mia vicina del quinto piano, Anna.

Una mattina in classe le vedo tutt'e due che fanno comunella. Ridacchiano, sembrano divertirsi un sacco e, quando mi unisco a loro, a malapena mi salutano. Capisco che si sono viste il giorno prima, alle mie spalle, e che il mio esilio non fa che cominciare. Quel pomeriggio, per la prima volta, mi viene il mal di stomaco. Dormo poco, con sogni che aggiungono nuova pena o false speranze alle mie veglie derelitte. Dura un'eternità, poi, di colpo, finisce. Mi riprendo Anna un giorno che c'incontriamo in ascensore.

"Tutti dicono che ti piace Paolo" l'abbordo, senza nemmeno salutare.

"Tutti, chi?" mi chiede subito lei, allarmata.

"Be', non so, Maddalena e Silvia, per esempio. Mi hanno detto che ormai anche Paolo lo sa." Anna impallidisce e, a quel punto, mento, scoccando la freccia velenosa:

"A loro gliel'ha raccontato Teresa".

Anna io la conosco, e vedo che ho colto il bersaglio.

"Non è per niente vero che mi piace Paolo. È solo una balla di Teresa" dice infatti a bruciapelo, piccata.

"Mah, chissà, magari le è sfuggito. Io, comunque, non l'ho detto a nessuno" butto là senza più infierire, per ora soddisfatta, pregustando la mia vendetta futura. Perché sì, questo è solo l'inizio: Teresa pagherà, pagherà tutto, tutto quello che io vorrei ma non oso fare.

ARBITRAGGIO

La strada è bianca e tutt'intorno i campi sono gialli, punteggiati qua e là dal sangue di un papavero. Qui la notte ci sono le lucciole, a centinaia, a migliaia forse, ma adesso non ne vedo neanche una, perché adesso è giorno. Quello che vedo sono le orecchie nere di Gonda, su e giù attraverso la linea tra cielo e terra.

In calesse io e papà stiamo andando alla mietitura dei Cecchini, i mezzadri di Civitella, il miglior podere di mio padre, ma prima ci fermeremo in piazza, dove abbiamo appuntamento con il fattore.

Il corso rimbomba degli zoccoli di Gonda: tutti ci guardano; curiosi, ammirati, ci fanno largo; una mamma afferra al volo la mano del bambino, fraintendendo il nitrito di Gonda, che in realtà è un saluto – ma lei è troppo nera: una creatura che spaventa, mentre a me dà brividi di orgoglio.

In piazza mio padre conosce tutti, e in molti si avvicinano, salutano, si complimentano per Gonda, qualcuno carezza il suo collo lucido di sudore. C'è anche il cugino di papà, Alfio, ma loro non vanno d'accordo, litigano ancora per l'eredità del nonno, che è morto molti anni fa. E papà lo prende sempre in giro, dice che è un invidioso, un avido e un taccagno, e che non è bello come lui, simpatico come lui, così che nessuna donna lo ha voluto sposare.

Anche oggi, dopo i primi convenevoli, si mette a punzecchiarlo: è vero che è crollato il tetto del capanno di Montesca, distruggendo tutti i suoi attrezzi, perché Alfio voleva risparmiare sui lavori? È vero che il podere di San Biagio gli renderà quest'anno solo qualche tonnellata, perché ci è piovuto troppo? Strano, perché sui suoi, di poderi, è piovuto proprio il giusto, e ora il grano vi risplende morbido e dorato. È vero che al Circolo nessuno lo vuole più ai tavoli del poker perché rovina sempre il gioco, andando a vedere ogni mano, mentre a lui gli hanno addirittura offerto la presidenza? Vuol vedere Alfio, adesso, subito, chi dei due riesce ad attirare più gente intorno a sé?

E mio padre propone che si mettano ognuno a un angolo della piazza, mentre a me spetterà il compito di contare quanti andranno a parlare con lui e quanti con Alfio.

"Così non vale" dice Alfio, "tu hai il cavallo, per forza vinci tu." "Va bene. Allora vorrà dire che la bambina e la Gonda aspetteranno in mezzo."

Eccomi in mezzo alla piazza, a uguale distanza da papà e dallo zio, con le briglie di Gonda ben strette tra le mani. Sono in grande agitazione, un po' per Gonda che è irrequieta e fa cigolare avanti e indietro le ruote del calesse, un po' perché desidero moltissimo che vinca papà, ma desidero che vinca senza che la sconfitta di Alfio sia proprio una disfatta.

Vedo la sua figurina smilza, tremolante di nervoso, poi mi volto dall'altra parte e vedo l'imponente e salda mole di papà. Vedo la sua precoce pelata brillare sotto il sole, e dall'altra parte vedo brillare i folti e spessi capelli di mio padre. E in quel momento, anche se so che non è buono, Alfio mi fa pena, talmente tanta pena che vorrei gridare: "Basta, fermi tutti. Qui non c'è partita!". E Gonda ha per-

84

so la pazienza e si mette a raspare l'asfalto con lo zoccolo, e intanto la gente si raduna intorno a papà, sempre più numerosa, mentre in pochi fanno un cenno di saluto a suo cugino e poi tirano dritto. E allora è inutile che stia attenta, è inutile che conti: l'unica cosa che posso fare è appendermi alle briglie di Gonda che s'impenna, sollevandomi con sé a celebrare il trionfo di mio padre.

LA CUGINA MARIAPIA

Prima dei temporali di settembre, capitava sempre in campagna una domenica pomeriggio d'estenuata vacanza, quando, sedute nell'ingresso fresco della villa, io e Clara evitavamo l'afa di fuori, avvertendo però senza tregua il ronzio di una mosca contro il vetro, inequivocabile segno della nostra noia. "Che facciamo adesso?" lanciava pigra una di noi, un po' seccata, anche, di riconoscere nell'altra la stessa svogliatezza. Fingevamo di pensarci su per qualche istante, ma poi ci arrendevamo con un "Boh!", finendo per star lì a non far nulla per ore.

In pomeriggi così, tornate in città dopo il mese di ferie in Versilia, venivano talvolta a farci visita le cugine di mio padre: una vedova di nome Mariapia e sua sorella zitella Elisabetta. Ad accompagnarle quasi sempre veniva anche la figlia diciottenne di Mariapia: Grazia. Arrivavano nella loro utilitaria celestina – la ragazza alla guida, l'immensa madre che le straripava accanto e, dietro, oscillante come un pendolo e sorprendentemente magra, la zia Elisabetta.

Quando ci sedevamo tutti nelle poltrone davanti a casa, Grazia appariva taciturna e scialba, come se l'estesa ombra della madre spegnesse in lei ogni bagliore d'adolescenza.

Ma quando, lasciati gli adulti alle loro conversazioni, c'incamminavamo noi tre sole nel parco e io e Clara le chiedevamo di raccontarci una storia, Grazia diventava un'altra: le si scioglieva subito la lingua, mentre una luce improvvisa le schiariva guance e fronte.

Oggi ci racconta *Cime tempestose* e siamo arrivate al punto in cui Heathcliff costringe Cathy a sposare il suo ripugnante figlio, quando Grazia si ferma e dice:

"Se vi faccio vedere una cosa, mi giurate che non la dite a nessuno?".

"Cos'è?" fa Clara.

"Prima giurate, dài, incrociate le dita e baciate la croce."

Io e mia sorella eseguiamo. Allora, dalla tasca del suo vestito a fiori, Grazia tira fuori una foto.

"Guardate" dice, tutta emozionata: "questo è l'uomo che sposerò, il mio fidanzato. Oh, quant'è bello, non è mica come il figlio di Heathcliff, lui. Guardate."

Noi guardiamo: è un primo piano in bianco e nero di un ragazzo in divisa da soldato. Sembra la foto di un morto, di quelle che si vedono nei loculi al cimitero, con i contorni della persona che sfumano nel bianco. Rimaniamo interdette per un po'. Poi io mi riscuoto e con un filo di voce dico: "Carino". Ma lei non ci fa caso e si butta a raccontare: "Lo incontravo sempre davanti all'officina meccanica dove lavora e lui mi sorrideva, ma io mi voltavo sempre dall'altra parte. Un giorno però lo vedo da lontano in fondo alla strada che aspetta e quando gli passo accanto mi dice: 'Buongiorno, bella signorina' e mi tende una meravigliosa rosa rossa. Io mi guardo intorno per vedere se qualcuno sta guardando, poi prendo la rosa e me la infilo sotto il cappotto e scappo via. Poi, la volta dopo, lo vedo ancora che mi aspetta al solito posto, e questa volta ci diciamo i nostri nomi. Ogni volta che c'incontriamo parliamo un po' di più, ma se c'è mia madre con me, facciamo finta di non conoscerci neanche. Sono andata con lui in collina, nella sua macchina, e ci siamo baciati. Oh, lo amo, lo amo, ma se lo scopre mia madre, mi ammazza, devo inventare sempre delle scuse, e non so più cosa inventare...".

Questa storia mi appassiona più di *Cime tempestose*. La sera a letto io e Clara ne parliamo.

"Secondo me, lui dovrebbe rapirla. Possono trovare un prete che li sposi di nascosto e noi due possiamo fare i testimoni" dico.

"Io non credo che si sposeranno" dice Clara.

"Ma perché, scusa tanto."

"Perché Mariapia non vuole."

"Ma allora non ascolti. Ti ho detto che lui la rapirà e che si sposeranno di nascosto."

"Sì, ma vedrai che quando lui andrà a casa sua per rapirla, Grazia dirà di no, che non ha il coraggio." E, dopo un momento di silenzio, Clara aggiunge: "Tu pensi che papà sarebbe così tremendo, con noi, come Mariapia con Grazia?".

"Ma che dici! Mica perché sono cugini, devono per forza essere anche uguali" la rintuzzo, soffocando un dubbio repentino, perché intanto mi è tornato in mente quando papà dice che i nostri spasimanti li prenderà a calci nel sedere.

Qualche tempo dopo Mariapia, Elisabetta e Grazia tornarono in visita. Grazia aveva gli occhi gonfi. Non vedevo l'ora che i convenevoli nelle poltrone davanti a casa si chiudessero per andare nel parco. Una volta sole, Grazia ci disse che era finito tutto, che la madre aveva avuto dei sospetti e che un giorno l'aveva seguita fino al distributore dove si davano appuntamento per andare su in collina, che l'aveva trascinata a casa riempiendola di botte, che la zia Elisabetta aveva fatto telefonare al proprietario dell'officina dal marito di una sua amica che lo conosceva perché il ragazzo venisse licenziato, che adesso lei poteva uscire di casa solo se accompagnata dalla madre, e che l'anno prossimo l'avrebbe mandata in collegio. Scoppiò a piangere e io e Clara le prendemmo ognuna una mano. Poi tra i singhiozzi disse: "Mia madre dice che lui è di bassa estrazione e di mettermi in testa che io sposerò minimo un notaio". Di nuovo scoppiò in lacrime e io cercai qualche parola di conforto, mi arrovellai il cervello a caccia di speranze e possibili colpi di scena, ma non mi venne in mente niente e allora piansi anch'io, pregando con tutte le forze che papà non avesse preso da sua cugina Mariapia.

LA TRAVERSATA

Questa nave è una città senza pericoli dove noi viviamo sole. Ai genitori, che pure sono lì, non dobbiamo chiedere permessi e lo spazio è grande abbastanza perché non ci siano contese territoriali con i fratelli. Abbiamo una cabina tutta nostra – la chiave, a turno, un piccolo rigonfio duro in tasca mia o di mia sorella.

Quando ci va, giochiamo a "cielo" sul ponte grande, oppure andiamo al cinema, gratis e di mattina, e all'uscita ci acceca l'ininterrotta luce di cielo e mare. In qualche notte, avvolte in una coperta fino al naso, ci mettiamo sulle sdraio a contare le stelle a una a una, ricominciando da capo ogni volta che perdiamo il conto, finché gli occhi non inventano astri rossi e verdi ed è l'ora di dormire. Per la prima volta aspettiamo l'alba, ma la sconosciuta è smunta, e ci delude.

Una mattina vediamo lo spruzzo di una balena disegnare i baffi all'orizzonte, ma non ci credono né i genitori né i fratelli, quando lo raccontiamo: quattro facce sghignazzanti intorno alla tavola, che ignoriamo, forti di giorni e giorni solo nostri.

Durò dieci giorni la traversata per l'America, poi il dito di mia madre puntò la Statua della Libertà e la nave entrò in porto, ormeggiandosi con stelle filanti. Nella folla in banchina c'erano le cugine della mamma, gli occhi umidi e ridenti, le bocche a dirci un labile qualcosa tra grida e strombettii.

A New York la mamma passò tutto il tempo a parlare con le sue cugine, così io e Clara uscivamo sempre con papà, camminando per ore su strade come trampolini senza fine. Chissà perché, dai palazzi di Midtown, la cravatta svolazzante al vento di una porta girevole, mi aspettavo sempre di veder uscire Cary Grant in bianco e nero.

Papà portò me e Clara in un grande magazzino di tre piani dove c'erano solo giocattoli.

All'ingresso ci sguinzaglia dicendo: "Potete scegliere tre regali a testa". Poi, si rivolge a me: "Tu guarda l'orologio. Quando le lancette arriveranno qui, e saranno le dieci e mezza, ci ritroveremo a quella cassa, va bene?". Sì, d'accordo, ma io già perdo la testa, e dico a Clara che non ce la farò mai a scegliere, tutte quelle possibilità mi danno il capogiro. E, naturalmente, sbaglio: nel reparto dei colori, dove ci sono una ventina di scaffali, alla fine mi decido per dei pastelli a cera, che di solito non mi piace usare, solo perché sulla scatola c'è una tigre con tre tigrotti, che in quel momento è il mio animale preferito. M'impossesso poi di un orso di peluche vestito da ranger – non un granché, ma insomma meglio della scelta successiva, completamente assurda: un guantone da baseball (sport che non mi passa nemmeno per la testa di praticare) le cui cuciture di filo rosso, bello resistente, chissà perché mi ipnotizzano. Quando ritrovo mio padre alla cassa, sono insoddisfatta, a disagio come per una sconfitta inconfessabile, e gli faccio una lagna sul freddo che sento per colpa di tutta quell'aria condizionata, così che finisce male e mi prendo una sgridata: "Piantala con questo piagnisteo. Sei proprio una ghigghia, e sei anche viziata".

Poi partimmo in viaggio per il Nord con una station wagon presa a nolo che vidi immensa per giorni e giorni, prima che il mio occhio si aggiustasse a quel paese grande, percorso solo da strade senza curve. Arrivammo a Cape Cod in un pomeriggio grigio, con mare cielo e dune dell'identico colore, e una frenesia ci prese, a me e ai miei fratelli, di correre subito sulla spiaggia. Così intonammo il "coro della convinzione" che consisteva nel dire a turno e sempre più velocemente "Dài, papà". Funzionò. Ci riversammo fuori dalla macchina uno dopo l'altro, fuggendo a precipizio verso le dune. Erano talmente alte che, via via che li vedevo arrampicarsi, i miei fratelli diventavano sempre più piccoli, ridotti in cima ad alberelli stenti su montagne gigantesche, ed ebbi paura che una ventata improvvisa se li portasse via, così che urlai di sollievo quando li vidi ruzzolare giù tutti e tre fra nuvoloni di sabbia.

Prendemmo alloggio in un bungalow sul mare e per la prima volta io e Clara ci separammo, dormendo ciascuna con un fratello: lei con Carlo, io con Pietro, che la sera a letto m'insegnò il gioco nuovo di compilare il mio menù ideale. Io ci mettevo sempre l'aragosta, che avevo scoperto lì a Cape Cod, dove la mangiavamo su rozzi tavoli di legno, un lungo bavaglino di plastica stretto intorno al collo. "Ne vorrei un'altra" dicevo, e la mamma diceva no, che mi avrebbe fatto male, ma mio padre era contento che mi piacesse tanto e alla fine acconsentiva.

La gente che incontravamo era sicuramente più gentile che in Francia, dove a qualsiasi domanda ti rispondevano con una secca alzata di spalle o una fragorosa spernacchiata. A differenza invece degli italiani, ognuno gentile a modo proprio, gli americani avevano una gentilezza come preconfezionata, con formule fisse in cui venivi puntualmente esortato a fare qualcosa. "Have a nice day" diceva salutandoci il benzinaio. "Enjoy your meal" ci ordinava la cameriera. "Watch your step" intimava con un sorriso il facchino facendoci strada nelle camere d'albergo. E una volta che papà era di pessimo umore perché avevamo bucato e già faceva buio, la mamma gli ordinò ridendo: "Don't worry! Be happy!", e anche lui si mise a ridere.

Dopo Cape Cod andammo a vedere le cascate del Niagara, ma fu una nota lugubre, mi disturbò quell'incessante scroscio tra i vapori e, al museo, la botte dentro la quale una vecchia si era buttata giù dalle cascate ed era morta. La sera, però, dormimmo in un motel, tutti nella stessa stanza, e al buio raccontammo a turno una barzelletta, e quando gli occhi mi si chiusero sperai che fosse per sempre, ora che ero lì, di nuovo felice e al sicuro.

LE SORELLE MARCH

Per un lungo periodo, verso le tre del pomeriggio, ci fu ogni giorno un quarto d'ora di traffico tra il primo e il quinto piano del nostro palazzo. Io e Clara, insieme ad Anna e Gabriella, ingombravamo l'ascensore di vestiti, borse, scarpe, cappelli, ombrelli, una sedia a dondolo, un baule e poi teiere, tazze da tè, libri, tenendolo chiassosamente occupato sotto lo sguardo severo dei nostri vicini.

Inutile spiegare che diavolo stessimo facendo, e l'importanza della cosa, perché tanto non avrebbero capito: in quel preciso momento non erano il signor Gramont o la signora Desmoulins, con figli e nipotini anche loro, ma citoyens del palazzo, ovverosia condomini, il cui diritto alla quiete e al pronto uso dell'ascensore (iscritto nel regolamento) veniva intollerabilmente calpestato. Così che, fingendo di non udire i colpi battuti sulla porta dell'ascensore o schivando la gelida occhiata di chi si era rassegnato a prendere le scale, portavamo a termine la nostra impresa a testa bassa.

Secondo che fosse lunedì o un altro giorno della settimana stavamo traslocando dalle nostre amiche o da noi lo scenario del prediletto "gioco delle Piccole donne". E siccome alcuni elementi indispensabili appartenevano a loro o

a noi, pazienza per i vicini, ma era pur necessario traspor-
tarli.

La prima volta che giochiamo alle Piccole donne, dobbiamo innanzi tutto distribuirci i ruoli, e io mi sento in
grande agitazione perché ho un'idea molto precisa della
parte che voglio ma non sono sicura di ottenerla.

Anna, la più grande, sarà Margaret, detta Meg, la mag-
giore delle sorelle March. Saggia e posata, indosserà un
lungo vestito blu, molto sobrio, appartenuto alla nonna di
Anna, e avrà i capelli legati in una treccia. Fin qui tutto bene, siamo tutte d'accordo, ma intanto la mia ansia è cre-
sciuta perché, se si conferma il criterio dell'età, per me è la
fine. E infatti sento Anna che mi dice: "Tu, che hai un anno meno di me, sarai Jo, la secondogenita...".

"No, è impossibile, è escluso" esplodo subito, pestan-
do i piedi, perché io voglio, a tutti i costi voglio, la parte
della dolce, sensibile, beneamata Beth, che suona il pianoforte e a un certo punto si ammala di scarlattina e muore
spezzando il cuore di tutti. "Ma chi vuoi fare allora, se non
vuoi fare Jo" mi chiede Anna. "Beth" mi esce in un rauco
sussurro, ma quando loro mi chiedono perché, rimango
muta, preda di un vergognoso oscuro desiderio, e più mi
vergogno più m'impunto: "Voglio essere Beth", così irra-
gionevole e ostinata – minacciando persino di non parteci-
pare al gioco –, che Anna è costretta a capitolare: "Va bene, allora vuol dire che la parte di Jo la farà Gabriella". Solo a questo punto, sfinita e colpevole, scovo un qualche argomento conciliatorio:

"Sì, Gabriella è perfetta per quella parte, vivace e indi-
pendente com'è. E poi anche a lei piacciono tanto i libri –
come a Jo – non è vero Gabriella ? – mentre forse io preferisco la musica".

Clara, naturalmente, farà Amy: sono entrambe le più
giovani e hanno il naso all'insù.

"Io però non sono vanitosa come Amy" protesta mia sorella con una vocina stridula, sull'orlo del capriccio, e io ho talmente paura che qualcosa possa sconvolgere il cast che la rassicuro melliflua: "Certo che no. Quando si recita bisogna solo far finta di essere in un certo modo. E tu che non sei per niente vanitosa, anzi, sarai una brava attrice se farai credere a tutti di esserlo. Capito?". Sì, apparentemente ha afferrato ed è già lì che rovista il cestino pieno di fiocchi, nastri e fermagli, rassegnata a ornarsene abbondantemente i capelli come prevede il copione. "Non ti dimenticare questa" le dico poi, tendendole una molletta per il bucato. "Te la devi mettere sul naso, come fa Amy perché non le diventi largo." "Ma mi farà male" protesta ancora Clara. "Se vuoi essere una brava attrice devi essere disposta ai sacrifici" taglio corto io, la buona Beth, finché Anna non accorre in suo aiuto: "Non serve che tu la tenga sempre. Ti farò segno io, in qualche scena, quando sarà il momento di mettertela". E ognuna finisce di radunare gli accessori del proprio costume in silenzio.

Io contemplo il mio bottino in un angolo del letto: un vestito lungo di raso con la gonna viola e il bustino lilla, una retina per i capelli, una ciotola piena di farina, un ombretto grigio. Poi mi vesto davanti allo specchio e raccolgo i capelli dentro la retina; con un batuffolo di cotone stendo la farina sul viso, uno strato bello spesso, e infine, con l'ombretto, mi disegno due occhiaie da far paura. Sono molto soddisfatta del risultato e ignoro Clara che mi dice che così sembro già morta. Nemmeno Anna e Gabriella paiono convinte, ma dopo l'incidente di poco fa evitano ogni commento. Ormai siamo pronte e Anna dice: "Io comincerei dalla scena in cui le sorelle ricevono la lettera del padre partito per la guerra".

"Ma quello è praticamente l'inizio... Se facciamo tutti i capitoli, non arriveremo mai alla fine" obietto io.

"Scusa, ma tanto che fretta c'è?" dice Anna, cominciando a spazientirsi. "Non è che ci sia fretta. È solo che la storia diventa più bella verso la metà..." provo a dire, ma questa volta lei non ha nessuna intenzione di mollare e il gioco seguirà lo svolgimento del romanzo. Così facciamo la scena della lettera, la scena dell'incontro con il simpatico Laurie, impersonato da un Pinocchio alto venti centimetri, nipote del burbero e ricchissimo Signor Laurence che regalerà un pianoforte a Beth (facciamo anche questa scena) eccetera eccetera. Poi, finalmente, per me arriva il grande momento. E adesso, io che ho sempre recitato dietro quel mascherone di farina, mi rovescio tutta la ciotola sul viso. Con l'ombretto trasformo le occhiaie in lividi solchi e, come ultimo tocco, decido di darmi un po' d'ombretto grigio anche sulle labbra. Adesso, anima e corpo, sono pronta a morire e quando mi corico sul letto già mi sento male. Qualche istante dopo, circondata dalle amorevoli cure delle mie sorelle, sono prossima a svenire e, nel pronunciare le mie ultime parole di conforto per ognuna, una lacrima mi spunta negli occhi socchiusi. Quando poi le sento sussurrare il dolore e il rimpianto per quell'angelo di bontà, lealtà, generosità che sono sempre stata, vedo la mia anima alata volare in Paradiso in un trionfo di nuvole d'argento. Alla fine, quando Meg mi chiude gli occhi, lacrime di felicità inondano il mio viso. Sto dolcemente naufragando, mentre pesanti grumi di farina cadono sul cuscino.

Siamo in macchina: la mamma e Clara davanti, io dietro. Sono le tre, piove freddo, e l'odore di plastica dei sedili mi dà una leggera nausea. Stiamo andando al corso di danza di Madame Petruceskaja, in rue du Bac, e le mie mani, che tengo posate sul sedile, tremano un po'.

Oggi non è una lezione come le altre.

Oggi Madame Petruceskaja selezionerà le bambine più dotate per candidarle alla scuola dell'Opéra.

Clara guarda fuori dal finestrino e racconta, a nessuno in particolare, che stamattina in classe è arrivata la supplente, una donna con gli occhi tutti dipinti di blu, verde e rosa e che quando il preside ha detto "Bambini, questa è la vostra supplente, la signora Occhipinti" lei è scoppiata a ridere e anche la sua amica Benedetta, ma menomale la supplente non se n'è accorta e nemmeno il preside. E Clara ride di gusto.

"Beata lei" penso.

"Se la mamma tampona quello davanti, magari facciamo tardi" penso.

"Ora dico che mi sento male" penso, ma non dico niente, rimango muta per tutto il viaggio.

C'è poco traffico, e presto la mamma ci fa scendere davanti al palazzo (i genitori non sono ammessi), lanciandoci attraverso il finestrino un "In bocca al lupo, bambine!". Clara mi guarda, tutta contenta di poter rispondere: "Crepi". Un minuto dopo siamo nell'ingresso, di fronte alla bella scala che conduce all'appartamento dove si svolgono le lezioni. Salgo dietro mia sorella, a passi lenti, e fisso le gocce di pioggia che dalla mia cerata cadono sulla guida rossa, disegnandovi un motivo a pois.

Nello spogliatoio c'è il solito puzzo di sudore. Mi svesto, ho freddo, anche la calzamaglia nera è fredda quando l'infilo. Metto il body nero e le scarpette rosa. Sono l'ultima. Clara mi dice di spicciarmi: le altre sono già tutte nel salone.

Il salone è immenso, con grandi specchi e sbarre lungo tre pareti. Il parquet è di legno chiaro. In un angolo c'è Madame Rostand seduta al pianoforte.

Capelli tinti biondo-platino, gonna lunga e body nero, bastone dal pomello d'argento, Madame Petruceskaja sta già parlando, la sua erre russa più marcata del solito. Spiega in cosa consisterà la prova (quali passi, figure ecc.) e cosa si aspetta da noi (un atteggiamento, lo spirito della danza) e, mentre parla, io vedo Alba, la cugina ballerina della mamma, la stella del New York City Ballet, e la foto del suo divino arabesque sotto i riflettori, e le parole di Madame Petruceskaja si confondono nel mio orecchio con le parole di Alba che mi dice: "La danza, darling, è un cocktail sublime e maledetto di lacrime, sudore e sangue".

Siamo una decina di bambine, tra i sette e gli undici anni, in fila per ordine d'altezza. Io sono la più alta, l'ultima. Davanti a me c'è Natacha, che però non è russa – è francese e antipatica. Se ne sta già tutta impettita, ma le braccia sono come morbide parentesi lungo il corpo, con il ricciolo delle mani che sfiora appena le gambe. Sono ipnotizzata dalla perfezione della sua figura e trascuro totalmente la mia. Adesso è il suo turno, e il primo a partire è il mento, tenuto alto, che fa inarcare la schiena e impone la direzione al passo. I piedi toccano il parquet, poi si staccano, con l'agio di chi entri ed esca da casa propria. Alla fine c'è un applauso.

E ora sta a me. Ma ho gli occhi incollati alle mie scarpette, alla linea curva che tracciano sul mio piede, al brutto contrasto tra quel rosa e il nero delle calze. Sento a malapena il pianoforte e mi muovo come in sogno, tutto il tempo assorta in quella linea.

Non vengo ammessa alle prove per entrare alla scuola dell'Opéra e nemmeno Clara. Lo comunica Madame Petruceskaja a mia madre e poi sentenzia: "Cosa vuole, cara signora, la danza è fede, fede in se stessi e nella danza, è un dono del cielo, una benedizione...". Tornando a casa in macchina, la mamma ride facendo il verso alla erre russa di Madame Petruceskaja, poi con tono conclusivo dice: "Che fanatica, però, quella donna". E mentre Clara ride, io sprofondo in lugubri meditazioni su questa ennesima prova della mia impermeabilità alla grazia di Dio.

PEREGRINAZIONI

Arrivò in seconda media ed era l'unica bambina della classe più alta di me. Una cascata di capelli d'oro le si agitò intorno quando prese posto al banco vicino al mio, lo sguardo trasognato e diafano – un velo tra me e ignoti mondi celesti. Qualcosa di antico o forse senza tempo nel vestire, come gli eterni abiti degli angeli, qualcosa di consunto, sbiadito e indifferente ai canoni dell'eleganza infantile, cui si conformava invece la mia uniforme di figlia della borghesia.

Cominciammo a fare un pezzo di strada insieme al ritorno dalla scuola. Per una strana coincidenza, Eleonora abitava in quella che era stata la nostra prima casa. La casa con il giardinetto, dove tanti anni prima si era smarrita la mia tartaruga Ruga. Quando le raccontai quanto l'avessi cercata, lei mi disse che da piccola suo padre le aveva regalato una mangusta, Siria, che a un certo punto era scomparsa. Eleonora aveva pianto tanto e, un giorno che se ne stava tutta triste in giardino, un uccello le si era posato ai piedi. Quale non era stata la sua sorpresa notando intorno al collo dell'uccello il collare di Siria. Allora aveva pronunciato il suo nome e l'uccello le aveva risposto con un gorgheggio. "L'anima degli esseri viventi non muore quando muoiono loro" mi spiegò, "ma passa nel corpo di altri esseri, comprese le piante. Perciò, se cerchi bene, ma proprio bene, ritroverai la tua Ruga."

Molto impressionata, mi misi all'opera, ma non sapendo bene su quale segno distintivo orientare le ricerche, puntai sul più facile: il guscio. Per giorni e giorni nessun uomo, fiore o animale dotato di un qualche tipo di corazza si decise a comparire di fronte al mio sguardo indagatore e, dopo un po', confidai a Eleonora che ero scoraggiata. "Non ti preoccupare" mi consolò lei, "la cercheremo insieme con il pendolo."

Siamo a casa sua, sedute al tavolo da pranzo. Allineate davanti a noi ci sono le carte del Mercante in fiera. Eleonora è in ginocchio su una sedia e tiene in mano il pendolo con disinvoltura, mentre io mi sento come in procinto di entrare nella grotta della Sibilla. "Adesso il pendolo ci dirà in quale specie di essere vivente si è tramutata la tua tartaruga. Chiudi gli occhi e concentrati bene sul suo nome" mi istruisce lei. "Devi vederlo scritto a stampatello nella tua mente, come una grande insegna luminosa." Io ho fede ed eseguo e poco dopo, dal nero della mia visione, si stagliano grandi lettere, come abbaglianti lingue di fuoco, che mi fanno male agli occhi. "Ecco" commenta Eleonora, "sulla carta della mietitrice il pendolo gira da destra a sinistra: vuol dire che l'anima di Ruga non si trova dentro una donna. Tu continua a concentrarti, che io adesso provo con la carta della tigre." Ne proviamo diverse (la rosa, l'alpinista, la foresta, la montagna – sì, anche la montagna, perché a un certo punto viene fuori che le anime possono addirittura annidarsi nelle pietre) ma il pendolo persiste nel suo giro di diniego. Comincio a pensare che forse Ruga non è affatto morta, che sta proseguendo da qualche parte la sua vita di vecchia tartaruga, quando, sopra la carta della giapponesina, il pendolo assente si mette a ruotare in senso inverso. "Scusa, ma se prima aveva detto che non era una donna..." faccio io perplessa e un po' seccata. Ma Eleonora di nuovo mi rassicura, dicendomi che a volte è necessario interpretare le risposte del pendolo e che forse suo padre potrà aiutarci. Partiamo tutte e due alla volta della camera del padre per il consulto. Il padre, che mi sembra già molto vecchio, è un marchese buddista, con due baffi d'argento affusolati che puntano verso l'alto come missili. Senza esitare, risponde al nostro quesito: "Se il pendolo ha reagito positivamente alla carta della giapponesina vorrà dire che la tartaruga non si è rincarnata in Francia né in qualche altro paese occidentale, ma in Oriente, in Giappone forse, o forse in Cina, in India, in Indocina, nelle Filippine, in Indonesia...". Ma io già non lo ascolto più, e la testa mi gira al pensiero di tutte le peregrinazioni che dovrei intraprendere per ritrovare la mia Ruga. Sono delusa, frustrata nella mia ostinazione, e quando io ed Eleonora torniamo di là mi metto a piangere di rabbia. Lei mi sfiora la mano e dice: "Ma se ami tanto Ruga, perché non provi a lasciarla andare, a essere contenta che sia in vita, anche se se ne va per la sua strada. Perché deve essere per forza tua?".

"Fai presto a parlare tu" ribatto allora, offesa, cattiva. "Tu sei diversa, tu vivi d'aria, e non ti attacchi a niente e a nessuno. Non hai nemmeno un anello, che so, una penna o un vestito a cui tieni veramente."

Quella volta Eleonora non rispose nulla, ma io scorsi una increspatura nel velo dei suoi occhi, e mi dispiacque e l'indomani le regalai il mio pennarello rosa shocking.

Poi, abbandonata la tartaruga al suo esotico avatar, ci lanciammo in ogni sorta di esperimenti. Il pendolo doveva risponderci sull'argomento del tema d'italiano, sulla misteriosa identità di Belfagor, il fantasma del Louvre, sul luogo dove i rapitori tenevano nascosto il piccolo René di Lyon. Passammo poi alla telepatia: trasmetterci una lettera, un colore, una parola, un pensiero, sottoponendo a prove sempre più difficili la potenza e la comunione delle nostre menti.

Insieme a lei conobbi spiritelli dispettosi e strambi che mi pizzicavano il sedere e un libraio di nome Erasmo, morto sul rogo a Bruges nel Cinquecento, il cui spirito mesto e altero mi rispose un giorno battendo tre colpi sul tavolo rotondo. Dimenticai le mie altre amiche, Anna e Teresa, le nostre preoccupazioni su vestiti nastri e scarpe, e le ore passate sul letto a toglierci le doppie punte compiendo bibliche esegesi su una frase di questo o di quel ragazzo che ci piaceva. Ero entrata nello specchio, nel paese dove lei, che in realtà si chiamava Diana, veniva chiamata Eleonora, e lo stesso per i suoi fratelli che si chiamavano Tancredi e Federico, ma rispondevano solo ai nomi di Brando e Manfredo. Il padre leggeva in nostra presenza un giornale con foto di donne nude: "Il borghese" e ogni tanto, avvolto nel suo mantello fumo di Londra, precedendoci sempre di qualche passo, ci portava alla società di teosofia, dove si suonava una musica che non avevo mai sentito, mentre il pubblico ruotava la testa come seguendo un arcano ritmo circolare. Qualche volta mi veniva da ridere, ma solo perché non mi sentivo degna di tutto quel mistero.

Insieme facciamo un fumetto: le avventure di un direttore d'orchestra pazzo e di un verme primo violino. Ma alla terza puntata Eleonora mi annuncia che suo padre è rimasto senza soldi e che tutta la famiglia tornerà in Italia prima della fine dell'anno. Io piango e mi dispero, e chiedo udienza al padre di Eleonora – che mi riceve. Lo imploro tra le lacrime di non portarmela via: senza di lei non posso vivere, capisce? Eleonora è tutto per me, è quasi come Clara, una sorella, anzi di più – praticamente una siamese. Lui mi ascolta serio, inarcando un sopracciglio; poi mi racconta tutta una storia complicata su due amiche sirenette, sul

loro perdersi e trovarsi tante volte nel viaggio da un piccolo mare all'oceano infinito – e afferro che così non otterrò
niente. Allora provo con mio padre: gli chiedo un prestito
per il padre di Eleonora, ma lui mi dice che queste cose
non si fanno, che così si feriscono le persone, e che comunque non è tanto che il papà di Eleonora ha finito i soldi,
ma che ama vivere così, un po' di qua un po' di là, e che bisogna rispettare come sono fatti gli altri.

"Va bene, ho capito" sbotto allora, "tanto è sempre la
stessa storia: a me mi portano via gli animali, le amiche,
tutto, e io, chissà perché, dovrei essere contenta lo stesso."

CHAMP DE MARS

Stiamo camminando su un mare di macchine, come Gesù sulle acque. Mio padre ci tiene per mano, e io e Clara ci arrampichiamo su cofani e tetti, col fiato corto per l'emozione, badando a non scivolare se qualcuno ci contende il passaggio.

I marciapiedi sono neri di folla che trabocca sulla strada cercando di infilarsi tra le automobili ferme, ma non c'è spazio, e allora sono in tanti, sempre più numerosi, a raggiungerci su quello scomodo sentiero.

È una sera calda di maggio. Maggio 1968 a Parigi.

La manifestazione del Champ de Mars straripa nei viali che circondano il parco. Tra l'isteria dei clacson, si sentono slogan, canti, grida, in un clima di festa che a tratti si arroventa per esplodere qua e là – un vetro che vola in frantumi, uno scambio di insulti e di spintonate, una rissa. Io mi aggrappo alla mano di papà – la mia boa nel mare in tempesta. Sudo nello sforzo di tenermi in piedi su quel terreno scivoloso e alto, su quel tetto in cui ormai siamo in quattro, e adesso l'automobilista infuriato esce dalla macchina e ci urla di scendere, di scendere subito dal tetto della sua macchina, fannulloni vandali che non siamo altro. Ha gli occhi come ampolle di sangue giusto all'altezza dei miei piedi, ed ecco che fa per afferrarmi un polpaccio – ho una paura nuova, sconosciuta, stranamente piacevole, una corrente che mi corre leggera sul filo della pelle – perché c'è mio padre con me e niente, niente di grave brutto irreparabile mi può accadere, neanche adesso che la mano dell'automobilista è sulla mia gamba e tira, per farmi scendere, per farmi cadere, mentre mio padre mi tira dall'altra parte gridandogli di non toccarmi, di aspettare un momento che scendiamo da soli. La mano mi molla e finisco di botto contro mio padre, e rido, ma nei suoi occhi c'è un'ombra, appena l'increspatura di un pensiero, forse perché la mamma non voleva che ci portasse a vedere la manifestazione.

Piano piano ci aiuta a scendere dal tetto, e in qualche modo raggiungiamo il marciapiede. Poi, circondati dalla muraglia della folla, il viso schiacciato contro una maglietta o una camicia a quadri davanti a noi, ci lasciamo trasportare verso il Champ de Mars.

Non riconosco più lo spiazzo dove io e Clara giochiamo ogni giorno, non lo ritrovo: il parco è tutto una cosa viva, un corpo dall'inaudito respiro, che spinge verso un palco sistemato al centro, dove qualcuno sta parlando – spinge, con le sue innumerevoli orecchie tese, in ascolto di quella voce di donna che risuona all'altoparlante.

Sono pigiata lì in mezzo, percorsa da brividi ogniqualvolta quel corpo, cui io pure appartengo, risponde alla voce con un grido da ciclope, o con un applauso, ma non riesco a vedere, non vedo nulla, nemmeno la donna sul palco che desidero tanto vedere.

Chiedo a mio padre di farmi salire sulle spalle. E da lassù la vedo bene: è vestita come la mamma, gonna a metà polpaccio, golfino abbottonato davanti e una collana che sembra un filo di perle.

"Chi è, papà, la donna che parla?"

"Simone de Beauvoir, una scrittrice, una filosofa."

"E che cosa sta dicendo?" incalzo, perché non capisco nulla delle sue parole e, a dire il vero, di tutta la situazione.

"Adesso è troppo lungo; te lo spiego poi a casa" mi zittisce lui.

Allora, a casa, torno alla carica.

"Diceva a tutti quei ragazzi che protestano per un mondo più libero e giusto, che protestare va bene ma che ognuno deve prendersi la responsabilità della propria vita, prendere in mano la propria vita ed essere fino in fondo se stesso."

"Tu le hai fatte queste cose?" gli chiedo, nella speranza che un esempio concreto mi chiarisca le idee.

"Be', non so, sì, forse sì... Certo, in nessun momento, mai, ho sentito che stavo vivendo la vita di qualcun altro" risponde mio padre con una voce vaga, assorta, gettandomi nel buio più fitto.

PROSERPINA

Sto pattinando sul ghiaccio, sulla pista che conosco bene. Faccio qualche giro, senza fretta, godendo della mia stabilità, con sicurezza. A un tratto avverto come un soffio sulla nuca, un soffio e un altro ancora, e presto l'ansimare di molti alle mie spalle. So chi sono e non mi volto, accelero impercettibilmente il passo, così che non sentano la mia paura, ma subito mi accorgo che non sono io ad avanzare, è quel loro respiro come vento che mi spinge. Ogni giro è più veloce, finché sento vibrare le lame dei miei pattini sul ghiaccio, sono sul punto di spezzarsi o di fendere il ghiaccio – lo so – e non riesco più a tenere la rotta, vado a schiantarmi contro il parapetto e il telefono suona e io mi sveglio.

Dalla sua stanza, sento mia madre che dice: "È morto?".

Seduta a letto boccheggiante ritardo quel che so. Ma le luci di casa si sono accese tutte nella notte, sono svegli i miei fratelli e ora è sveglia anche Clara accanto a me, ed è la fine, quel che so è diventato vero.

Mio padre è uscito alle otto per provare la sua nuova macchina sportiva insieme a un amico.

Dal quinto piano arrivano in pigiama i genitori delle nostre amiche. La mamma piange, piange la madre delle nostre amiche e Clara si aggrappa alla mia mano. Il padre delle nostre amiche torna a casa sua e poi riscende con il cappotto addosso.

Mia madre è seduta nel divanetto all'ingresso, io sono in piedi davanti a lei, le ginocchia contro le sue ginocchia, le mie mani nelle sue. Deglutisce più volte, poi mi dice: "Ora vado all'ospedale con i tuoi fratelli. Papà è là, c'è ancora un filo di speranza". M'implora di crederci con lo sguardo, se io ci credo, può crederci anche lei, ma nei miei occhi vede il pesante corpo di mio padre che oscilla appeso a un filo, e di nuovo scoppia in singhiozzi.

A casa rimaniamo io, Clara e la mamma delle nostre amiche. Ci riaccompagna in camera, ci permette di accostare i letti e rimane seduta accanto noi distese. Prometto a Dio di farmi suora se salverà mio padre, ma è un voto fiacco, perché non credo a un simile baratto e perché io non voglio farmi suora, e allora mi prende il terrore di Dio, di un Dio che esige queste cose, e lo odio e odio me stessa Giuda traditrice. Mi tiro su a sedere perché respiro male, ma c'è la mano dell'amica che mi rispinge giù e rimane posata sul mio petto mentre lei dice: "Da brava, dormi. Cerca di dormire". È un tempo che non passa mai, scandito solo da un'onda che a tratti si gonfia e s'alza dentro di me e poi si schianta, mi scroscia nelle orecchie, lasciandomi tramortita e sorda.

Alla fine tornano, e papà è morto. Parigi albeggia esausta alla finestra. Arriva un sacco di gente, un via vai ininterrotto di bisbigli e singhiozzi. Arriva anche qualche banchiere, presto la mattina, a fare le condoglianze e ad assicurarsi che la vedova onorerà i debiti del morto. Qualche amico di papà prende i miei fratelli in disparte, raccomandando un senso nuovo delle responsabilità. Nessuno dice niente a me e mia sorella, e c'è troppa gente intorno alla mamma, non riusciamo ad avvicinarci, e lei magari ci ha già dimenticate. Invisibili vaghiamo per la casa tenendoci per mano, ma ognuna è sola: un vetro strano, nuovo, ci divide. Ci uniamo a un gruppo, e poi a un altro, e magari rimediamo una carezza. Arriva un amico di Pietro che mi piace, e all'improvviso mi riscuoto, fiera della mia tragedia, per la prima volta degna di essere guardata, ma lui mi dà un bacio frettoloso e si lancia alla ricerca di mio fratello. Poi arriva Dame Dame ed è come ritrovare il nostro corpo. Ci lava viso e mani e ci veste piangendo tutto il tempo. In camera chiude la porta, ci fa sedere sul letto, e parla di papà, della sua anima per la quale dobbiamo pregare. E allora io la vedo puntare dritta e spedita verso il Paradiso, le preghiere mie e di Clara per motori, poi, in volo, la vedo trasformarsi in una farfalla immensa, marrone e viola, o in un'aquila reale – e la contemplo per un attimo, senza tendere la mano a trattenerla, paga della sua nuova libertà, come mi ha spiegato Eleonora; subito dopo però vedo Proserpina, rapita dal mondo dei vivi, trascinata negli inferi, ma la madre ha ottenuto che ogni anno tornasse a passare un po' di tempo con lei, e poi mi arrendo al buio dei miei occhi che si chiudono. Finalmente piango e in un sussurro tra i singhiozzi dico: "O papà, ovunque stai andando, non mi dimenticare".

Stampa Grafica Sipiel
Milano, febbraio 1997